GRAZIA DELEDDA nacque nel 1871 in Sardegna, figlia di un ricco possidente terriero, sindaco di Nuoro nel 1863. Nel 1887 inviò a Roma alcuni racconti e cominciò a collaborare con alcune riviste, facendo poi pubblicare anche i suoi primi romanzi. Nel 1896 Luigi Capuana scrisse la prefazione al romanzo *La via del male* e lo recensì in maniera molto favorevole, incoraggiando così la diffusione nazionale delle opere letterarie della Deledda. Nel 1900 Grazia Deledda sposò Palmiro Madesani, allora funzionario del Ministero delle finanze, e riuscì a coronare il suo sogno di trasferirsi a Roma, nell'amato *Continente*; dopo il matrimonio, il marito decise di lasciare il suo posto di dipendente statale per diventare l'agente letterario della moglie e le idee progressiste della coppia fecero storcere il naso ai più conservatori, tra cui Luigi Pirandello. Nel 1904 la scrittrice scrisse l'opera che la fece diventare famosa: *Cenere*, a cui seguirono altre opere teatrali e romanzi che ebbero una certa risonanza internazionale, come *Canne al vento*, che, nel 1913, le valse la prima candidatura al Premio Nobel per la letteratura. Opposta invece fu la reazione degli intellettuali sardi, che si sentirono traditi e manipolati, così come i concittadini di Nuoro, che furono da subito dell'opinione che le sue opere letterarie descrivessero una Sardegna troppo rude, rustica e arretrata. Nel 1909 la Deledda fu la prima donna italiana candidata alle elezioni della XXIII legislatura del Regno d'Italia per il Partito Radicale Italiano, in un paese in cui le donne non avevano ancora diritto di voto; la sua candidatura venne presto interpretata come una provocazione a sostegno del suffragio universale. Grazia Deledda continuò la pubblicazione costante di opere teatrali e romanzi fino a meritare nel 1926 il Premio Nobel per la letteratura. Morì nel 1936.

SILVIA LICCIARDELLO MILLEPIED lavora nell'editoria dal 2012 e ha pubblicato e curato centinaia di opere letterarie. Tra le sue ultime traduzioni troviamo *In una pensione tedesca* di Katherine Mansfield; diverse opere di Alexandre Dumas tra cui *La marchesa di Brinvilliers: l'avvelenatrice (1676)*; *La lettera scarlatta* di Nathaniel Hawthorne e molti altri. Maggiori informazioni su silvialicciardello.com.

GRAZIA DELEDDA

Cenere

A cura di S. LICCIARDELLO

Res stupenda in libris invenitur.

IL CAVALIERE DELLE ROSE

ISBN: 979-10-378-0099-2

www.immortalistore.com

Edizione di riferimento: G. Deledda, *Cene-re*, Milano, Fratelli Treves, 1929.

Prima edizione nel «Cavaliere delle rose» maggio 2024

INDICE

CENERE

PARTE PRIMA

PARTE SECONDA

PARTE PRIMA
CAPITOLO I

Cadeva la notte di San Giovanni. Olì[1] uscì dalla cantoniera biancheggiante sull'orlo dello stradale che da Nuoro conduce a Mamojada, e s'avviò pei campi. Era una ragazza quindicenne, alta e bella, con due grandi occhi felini, glauchi e un po' obliqui, e la bocca voluttuosa il cui labbro inferiore, spaccato nel mezzo, pareva composto da due ciliegie. Dalla cuffietta rossa, legata sotto il mento sporgente, uscivano due bende di lucidi capelli neri attortigliati intorno alle orecchie: questa acconciatura ed il costume pittoresco, dalla sottana rossa e il corsettino di broccato che sosteneva il seno con due punte ricurve, davano alla fanciulla una grazia orientale. Fra le dita cerchiate di anellini di metallo, Olì recava striscie di scarlatto e nastri coi quali voleva *segnare i fiori di San Giovanni*, cioè i cespugli di verbasco, di timo e d'asfodelo da cogliere l'indomani all'alba per farne medicinali ed amuleti.

D'altronde Olì pensava che anche non *segnando*[2] i cespugli che voleva cogliere, nessuno glieli avrebbe toccati: i campi intorno alla cantoniera dove ella viveva col padre ed i fratellini, erano completamente deserti. Solo in lontananza una casa campestre in rovina emergeva da un campo di grano, come uno scoglio in un lago verde. Nella campagna intorno moriva

---

[1] *Olì*: Rosalia.

[2] *Segnare* i cespugli, cioè legarli con un nastro affinché nessuno li tocchi.

la selvaggia primavera sarda: si sfogliavano i fiori dell'asfodelo e i grappoli d'oro della ginestra; le rose impallidivano nelle macchie, l'erba ingialliva, un caldo odore di fieno profumava l'aria grave.

La via lattea e l'ultimo splendore dell'orizzonte, fasciato da una striscia verdastra e rosea che pareva il mare lontano, rendevano la notte chiara come un crepuscolo. Vicino al fiume, la cui acqua scarsissima rifletteva le stelle e il cielo violaceo, Olì trovò due dei suoi fratellini che cercavano grilli.

– A casa! Subito! – ella disse con la sua bella voce ancora infantile.

– No! – rispose uno dei bimbi.

– Allora voi non vedrete spalancarsi il cielo, stanotte! I bimbi buoni, nella notte di San Giovanni vedono aprirsi il cielo e poi vedono il paradiso e il Signore e gli angeli e lo Spirito Santo... Ma voi vedrete un cornino se non andate a casa subito.

– Andiamo – disse pensieroso uno dei bimbi. L'altro protestò ancora un po', ma finì col lasciarsi condurre via dal fratello.

Olì andò oltre: oltre l'alveo del fiume, oltre il sentiero, oltre le macchie di olivastro: qua e là si curvava e legava con un nastro le cime di qualche cespuglio, poi si rizzava e scrutava la notte con lo sguardo acuto dei suoi occhi felini.

Il cuore le balzava forte, d'ansia, di timore e di gioia. La notte fragrante invitava all'amore e Olì amava, Olì aveva quindici anni e con la scusa di *segnare* i fiori di San Giovanni andava ad un convegno amoroso.

Sei mesi prima, una sera d'inverno, un giovane contadino, mezzadro d'un ricco proprietario nuorese a cui appartenevano i campi intorno alla casa in rovina, era entrato nella cantoniera per chiedere un po' di fuoco. Era un giovane alto, con lunghi capelli neri lucidi d'olio: i suoi occhi nerissimi non si lasciavano quasi guardare, tanto erano luminosi, e soltanto Olì poteva fissarli con i suoi, che non si abbassavano davanti a nessuno.

Il cantoniere, uomo ancora giovane ma già grigio, stanco di fatiche, di affanni e di miseria, accolse benevolmente il contadino, gli diede una pietra focaia, lo interrogò sul suo padrone e lo invitò a tornare sempre che voleva.

Da quella sera il contadino frequentò assiduamente la cantoniera: nelle sere piovose raccontava storielle ai bambini raccolti intorno al focolare fumoso, e ad Olì insegnò i posti ove meglio crescevano i funghi e le erbe mangerecce.

Un giorno egli trasse la fanciulla fin verso un avanzo di *nuraghe*, sopra un'altura, fra macchie coperte di bacche rosse, e le disse che fra i blocchi della tomba gigantesca stava nascosto un tesoro.

– Eppoi so di tanti altri *accusorgios*,[3] – egli disse con voce grave, mentre Olì coglieva finocchi selvatici; – io finirò bene col trovarne uno, ed allora...

– E allora? – chiese Olì, un po' beffarda, sollevando gli occhi che al riflesso del paesaggio parevano verdi.

– Allora me ne andrò lontano; e se tu vorrai venir con me ti porterò via, in Continente. Io conosco bene il Continente, perché è da poco tempo che ho finito il servizio militare. Sono stato a Roma e poi in Calabria ed in altri posti ancora. Là tutto è bello... Se tu verrai...

Olì rise, piano piano, lusingata e felice, sebbene un po' ironica. Dietro il *nuraghe* due dei suoi fratellini, nascosti in una macchia, fischiavano richiamando un passero: per l'immensità del paesaggio non s'udiva voce umana, non passava nessuno.

Il servo prese Olì per la vita, la sollevò, chiuse gli occhi e

---

3 *Accusorgios*: Tesori nascosti.

la baciò; e da quel giorno i due giovani s'amarono selvaggia-
mente, diffondendo il segreto della loro passione alle macchie
più silenziose, ai cespugli della riva, ai neri nascondigli dei
nuraghes solitari.

Oppressa dalla solitudine e dalla miseria Olì amava il giovine per ciò che egli rappresentava, per le cose e le terre ma-
ravigliose che egli aveva vedute, per la città dalla quale veniva,
per il ricco padrone che serviva, per i fantastici disegni che
egli tracciava nell'avvenire; ed egli amava Olì perché era bella ed ardente: entrambi incoscienti, primitivi, impulsivi ed
egoisti, si amavano per esuberanza di vita e per bisogno di
godimento.

Anche la madre di Olì, a quanto narrava la figliuola, era
stata una donna fantastica e ardente.

– Ella era di famiglia benestante, – raccontava Olì, – ed
aveva parenti nobili che volevano maritarla con un vecchio
possidente. Mio nonno, il padre di mia madre, era un poeta:
in una notte improvvisava tre o quattro canzoni, e tanto erano belle che, appena un cantastorie le ripeteva per la strada,
tutto il popolo le apprendeva e le ripeteva con entusiasmo.
Ah, sì, mio nonno era un gran poeta! Alcune sue poesie le
so anch'io, insegnatemi da mia madre. Aspetta, senti questa.

Ella recitava qualche strofa in dialetto logudorese, poi ri-
prendeva: – Il fratello di mia madre, zio Merziòro Deso-
gos, dipingeva nelle chiese e scolpiva i pulpiti: però si uccise
perché aveva da scontare una condanna. Sì, i parenti di mia
madre erano nobili ed istruiti: tuttavia ella non volle sposare
il vecchio proprietario. Vide invece mio padre, che allora era
bello come una bandiera, se ne innamorò e fuggì con lui. Ella
soleva dire, mi ricordo: «Mio padre mi ha diseredata, ma non
importa; gli altri si tengano le loro ricchezze, io mi tengo il
mio Micheli e basta!»

*
**

Un giorno il cantoniere si recò a Nuoro per comprare del frumento, e ritornò più triste e disfatto del solito.

– Olì, bada a te, Olì! – disse alla figlia minacciandola con la mano. – Guai se quel servo rimette ancor piede qui! Egli ci ha ingannati persino sul suo nome. Disse di chiamarsi Quirico ed invece si chiama Anania. È oriundo di Orgosolo, razza di pastori, parente di banditi e di galeotti. Bada a te, donnicciuola: egli ha moglie!

Olì pianse e le sue lagrime caddero, assieme col frumento, entro l'arca di legno nero; ma appena l'arca fu chiusa e zio Micheli tornò al lavoro, la fanciulla andò in cerca del servo.

– Tu ti chiami Anania! Tu hai moglie! – gli disse, e gli occhi le fiammeggiavano di rabbia.

Anania finiva di seminare il grano sul prato smosso: due merli cantavano dondolandosi su una fronda d'olivastro; grandi nuvole bianche rendevano più intenso l'azzurro del cielo. Tutto era dolcezza, silenzio, oblìo.

– Ecco, – disse il giovane, che teneva ancora la bisaccia sulla spalla, – io ho una moglie vecchia. Ah, me la diedero per forza... come i parenti volevano dare a tua madre il vecchio possidente... perché io sono povero ed *ella* ha molti soldi. Ma che cosa importa? Ella è vecchia e morrà presto; noi siamo giovani, Olì, ed io voglio bene soltanto a te. Se tu mi abbandoni io muoio.

Olì s'intenerì e credette.

– E che faremo ora? – domandò. – Mio padre mi bastonerà se continueremo ad amarci.

– Abbi pazienza, agnellino mio. Mia moglie morrà presto; ma anche non morisse io troverò il tesoro e ce ne andremo in Continente.

Olì protestò, pianse, non sperò molto nel tesoro, ma continuò ad amoreggiare col servo.

La seminagione era terminata, ma Anania andava spesso in campagna per osservare se il grano spuntava, e per estirpare le male erbe dal seminato: nelle ore di riposo, invece di coricarsi, egli diroccava il nuraghe, con la scusa di costruire un muro con le pietre divelte dal monumento, ma in realtà per cercare il tesoro.

– Se non qui altrove, ma lo troverò! – diceva ad Olì. – Ebbene, a Maras un servo come me trovò un fascio di verghe d'oro. Egli non si avvide che erano d'oro e le consegnò ad un fabbro. Stupido! Ma io mi accorgerò bene...

– Nei nuraghes, – raccontava poi, – abitavano i giganti che usavano le masserizie d'oro. Persino i chiodi delle loro scarpe erano d'oro. Oh, si trovano sempre dei tesori, cercandoli bene! A Roma, quando io ero soldato, vidi un luogo dove si conservano ancora le monete d'oro e gli oggetti nascosti dagli antichi giganti. Anche ora, del resto, nelle altre parti del mondo, vivono ancora i giganti, e sono così ricchi che usano gli aratri e le falci d'argento.

Egli parlava sul serio, con gli occhi splendenti di sogni aurei; se però gli avessero chiesto che avrebbe fatto dei tesori che sperava ritrovare, forse non avrebbe saputo dirlo. Per allora progettava soltanto la fuga con Olì: all'avvenire non pensava che in modo fantastico.

Verso Pasqua la fanciulla ebbe occasione di recarsi a Nuoro, e domandate notizie della moglie di Anania seppe che costei era una donna anziana, ma niente affatto benestante.

– Ebbene, – egli disse, appena Olì gli rinfacciò la sua menzogna, – sì, ella adesso è povera, ma quando la sposai era ricca. Dopo le nozze io andai al servizio militare, mi ammalai, spesi molto; anche mia moglie si ammalò. Oh, tu non sai cosa vuol dire una lunga malattia! Poi prestammo dei denari e non ce li restituirono. Poi credo un'altra cosa; che mia moglie tenga i denari nascosti. Ecco, ti giuro che è così.

Egli parlava seriamente, ed Olì credeva. Credeva perché aveva bisogno di credere e perché Anania l'aveva abituata a ritener vere le cose più inverosimili, suggestionato egli stesso dalle sue fantasie. Così, verso i primi di giugno, zappando in un orto del padrone, egli trovò un grosso anello di metallo rossiccio e lo credette d'oro.

– Qui ci deve essere certamente un tesoro, – pensò, e subito andò a raccontare le sue nuove speranze ad Olì.

La primavera regnava nella campagna selvaggia; il fiume azzurrognolo rifletteva i fiori del sambuco, i narcisi esalavano voluttuose fragranze; nelle notti rischiarate dalla luna o dalla via lattea, tiepide e silenti, pareva che nell'aria ondeggiasse un filtro inebbriante.

Olì vagava qua e là, con gli occhi velati di passione; nei lunghi crepuscoli luminosi e nei meriggi abbaglianti, quando le montagne lontane si confondevano col cielo, ella seguiva con uno sguardo triste i fratellini seminudi, neri come idoletti di bronzo, e mentre essi animavano il paesaggio con le loro grida di uccelli selvatici, ella pensava al giorno in cui avrebbe dovuto abbandonarli per partire con Anania.

Ella aveva veduto l'anello ritrovato dal giovine, e sperava e aspettava, col sangue arso dai veleni della primavera.

*
**

– Olì! – chiamò la voce di Anania, dietro una macchia.

Olì tremò, avanzò cauta, cadde fra le braccia del giovine. Sedettero sull'erba ancora tiepida, accanto ad un fascio di puleggi e d'alloro selvatico che esalava un forte profumo.

– Quasi quasi non venivo, – disse il giovine. – La padrona deve sgravarsi stanotte, e mia moglie, che sta ad assisterla, voleva che io restassi in casa. «No, le dissi, stanotte devo cogliere il puleggio e l'alloro; non sai che è San Giovanni?» E son venuto. Ecco.

Si frugava in seno, mentre Olì toccava l'alloro chiedendo a che serviva.

– Non lo sai, dunque? L'alloro colto stanotte serve per medicina e per tante altre cose: se, per esempio, tu spargi le foglie di quest'alloro qua e là sui muri intorno ad una vigna o ad un ovile, gli animali rapaci non potranno penetrarvi, né rosicchiar l'uva, né rapire gli agnelli.

– Ma tu non sei pastore.

– Io però guarderò la vigna del padrone: poi queste foglie le metterò anche intorno all'aia, perché le formiche non rubino il grano. Verrai tu, quando io batterò il grano? Ci sarà molta gente; faremo festa e alla notte canteremo.

– Oh, mio padre non vorrà! – ella disse sospirando.

– Ma è curioso quell'uomo! Si vede che non conosce mia moglie: ella è decrepita come le pietre, – disse Anania, sempre frugandosi in seno. – Ma dove l'ho messa?

– Che cosa? Tua moglie? – chiese maliziosamente Olì.

– Ebbene, una croce! Ho trovato anche una croce d'argento.

– Anche una croce d'argento? Dove era l'anello? E tu non me lo dicevi?

– Ah, eccola. Sì, è d'argento vero.

Egli trasse di sotto l'ascella un involtino: Olì lo svolse, palpò la crocetta e domandò ansiosa:

– Ma è dunque vero? Il tesoro c'è?

E pareva così felice che Anania, sebbene avesse trovato la crocetta in campagna, credette bene di lasciarla nella sua illusione.

– Sì, là, nell'orto. Chissà quanti oggetti preziosi ci saranno! Ma bisognerà che io frughi di notte.

– Ma il tesoro è del padrone.

– No, è di chi lo trova! – rispose Anania; e quasi per avvalorare questo suo principio egli cinse Olì con un braccio e cominciò a baciarla.

– Se io troverò il tesoro tu verrai? – le chiese tremando. – Verrai, dimmi, fiore? Bisogna che io lo trovi subito perché non posso più vivere lontano da te. Ah, vedi, quando vedo mia moglie sento voglia di morire, mentre vorrei vivere mille anni con te. Fiore mio!

Olì ascoltava e tremava. Intorno era profondo silenzio; le stelle brillavano sempre più perlate, come occhi sorridenti d'amore, e sempre più dolci erravano nell'aria i profumi delle erbe aromatiche.

– Mia moglie morrà presto, Olì, cuoricino mio! Sì, che fanno i vecchi sulla terra? Chissà? Fra un anno, forse, noi saremo sposi.

– San Giovanni lo voglia! – sospirò Olì. – Ma non bisogna desiderare la morte di nessuno. Ed ora lasciami andare.

– Rimani ancora un po', – egli supplicò con voce infantile, – perché vuoi andartene così presto? Che farò io senza di te?

Ma ella si alzò tutta vibrante.

– Forse ci rivedremo domani mattina, perché coglierò le erbe prima che sorga il sole: ti farò un amuleto contro le tentazioni...

Ma egli non aveva paura delle tentazioni: s'inginocchiò, cinse Olì con ambe le braccia e si mise a gemere.

– No, non andartene, non andartene, fiore; rimani ancora un poco, Olì, agnellino mio; tu sei la mia vita; ecco, io bacio la terra dove tu posi i piedi, ma rimani ancora un poco; altrimenti io muoio.

Egli gemeva e tremava, e la sua voce commoveva Olì fino alle lagrime. Ella rimase.

*
**

Solo in autunno zio Micheli si accorse che sua figlia aveva peccato. Una collera feroce invase allora l'uomo stanco e sofferente che aveva conosciuto tutti i dolori della vita, fuorché il disonore. A questo si ribellò. Prese Olì per un braccio e la cacciò via di casa.

Ella pianse, ma zio Micheli fu inesorabile. Egli l'aveva avvertita mille volte; e forse avrebbe perdonato se ella avesse peccato con un uomo libero; ma così no, non poteva perdonare.

Per qualche giorno Olì visse nella casa in rovina intorno alla quale Anania aveva seminato il grano; i fratellini le portavano qualche tozzo di pane, ma zio Micheli se ne accorse e li bastonò.

Allora Olì, per non morire di fame e di freddo, giacché l'autunno copriva di grandi nubi livide il cielo, e il vento umido soffiava attraverso le macchie arrossate dal gelo, s'avviò verso Nuoro per chiedere aiuto all'amante. Fosse caso od avvertenza, a metà strada incontrò Anania che la confortò, la coprì col suo gabbano e la condusse a Fonni, paese di montagna, al di là di Mamojada.

– Non aver paura, – disse il giovine, – ora ti conduco da una mia parente, presso la quale starai benissimo; sta tranquilla, ché io non ti abbandonerò mai.

La condusse in casa di una vedova che aveva un figliolino di quattro anni. Nel vedere questo bambino, nero, lacero, tutto orecchie ed occhi, Olì pensò ai fratellini e pianse. Ah, chi si sarebbe più curato dei poveri orfanelli? Chi avrebbe dato loro da mangiare e da bere; chi preparerebbe il pane nella cantoniera, chi laverebbe più i panni nel fiume azzurro? E che avverrebbe mai di zio Micheli, il povero vedovo febbricitante ed infelice? Basta, Olì pianse un giorno ed una notte; poi si guardò attorno con occhi foschi.

Anania era partito; la vedova fonnese, pallida e scarna, con un viso di spettro, circondato da una benda giallastra, filava seduta davanti ad un fuocherello di fuscelli: tutto intorno era miseria, stracci, fuliggine. Dal tetto di scheggie annerite dal fumo pendevano, tremolanti, grandi tele di ragno; pochi arnesi di legno formavano le masserizie della misera casa. Il bimbo dalle grandi orecchie, vestito già in costume, con un berrettone di pelle lanosa, non parlava né rideva mai: soltanto si divertiva ad arrostire castagne fra la cenere ardente.

– Abbi pazienza, figlia, – disse la vedova alla fanciulla, senza sollevare gli occhi dal fuso. – Sono cose del mondo. Oh, ne vedrai delle peggiori, se vivrai. Siamo nati per soffrire: anch'io da ragazza ho riso, poi ho pianto; ora tutto è finito.

Olì si sentì gelare il cuore. Oh, che tristezza, che tristezza immensa! Fuori cadeva la notte, faceva freddo, il vento rombava con un fragore di mare agitato. Al chiarore giallognolo del fuoco la vedova filava e ricordava; ed anche Olì, accoccolata per terra, ricordava la notte calda e voluttuosa di San Giovanni, il profumo dell'alloro, la luce delle stelle sorridenti.

Le castagne del piccolo Zuanne scoppiavano fra la cenere che si spargeva sul focolare. Il vento batteva furiosamente alla porta come un mostro scorrazzante nella notte cupa.

– Anch'io, – disse la vedova, dopo un lungo silenzio, – anch'io ero di buona famiglia. Il padre di questo moscherino si chiamava Zuanne; perché, vedi, sorella cara, ai figli bisogna sempre mettere il nome del padre affinché gli somiglino. Ah, sì, era molto abile mio marito. Alto come un pioppo, vedi là, il suo gabbano è ancora appeso al muro.

Olì si volse e sulla parete color terra vide infatti un lungo gabbano d'orbace nero, fra le cui pieghe i ragni avevano tessuto i loro veli polverosi.

– Non lo toccherò mai, – riprese la vedova, – anche se dovrò morire di freddo. I miei figli lo indosseranno quando saranno abili come il padre loro.

– Ma cosa era il padre? – chiese Olì.

– Ebbene, – disse la vedova, senza cambiar tono di voce, ma col viso spettrale lievemente animato, – egli era un bandito. Dieci anni stette bandito, sì, dieci anni. Egli dovette darsi alla campagna pochi mesi dopo le nostre nozze: io andavo a trovarlo sui monti del Gennargentu, egli cacciava mufloni, aquile, avoltoi, ed ogni volta ch'io andavo a trovarlo, egli faceva arrostire una coscia di muflone. Dormivamo all'aperto, sotto il vento, sulle cime dei monti; ma ci coprivamo con quel gabbano là e le mani di mio marito ardevano sempre, anche quando nevicava. Spesso si stava in compagnia...

– Con chi? – domandò Olì, che ascoltando la vedova dimenticava le sue pene.

Anche il bimbo ascoltava, con le grandi orecchie intente: sembrava una lepre quando sente il grido della volpe lontana.

– Ebbene, con altri banditi. Erano tutti uomini abili, svelti, pronti a tutto e specialmente alla morte. Tu credi che i banditi siano gente cattiva? Tu ti inganni, sorella cara: essi sono uomini che hanno bisogno di spiegare la loro abilità; null'altro. Mio marito soleva dire: «Anticamente gli uomini andavano alla guerra: ora non si fanno più guerre, ma gli uomini hanno ancora bisogno di combattere, e commettono le grassazioni, le rapine, le *bardanas* [4] non per fare del male, ma per spiegare in qualche modo la loro forza e la loro abilità!»

– Bella abilità, zia Grathia! E perché non si battono la testa al muro, se non hanno altro da fare?

– Tu non capisci, figlia, – disse la vedova, triste e fiera. – È il destino che vuole così. Ora ti racconterò perché mio marito *si fece* bandito.

Ella disse *si fece* con una certa fierezza, non priva di vanità.

– Sì, raccontate, – rispose Olì, con un lieve brivido per le spalle.

L'ombra addensavasi, il vento urlava sempre più forte, con un continuo rombo di tuono: pareva di essere in una foresta sconvolta dall'uragano, e le parole e la figura cadaverica della vedova, in quell'ambiente nero, illuminato solo a sprazzi dalla fiamma lividignola del misero fuoco, davano ad Olì una infantile voluttà di terrore, e pareva di assistere ad una di quelle paurose fiabe che Anania aveva narrato ai suoi fratellini: ed ella, ella stessa, con la sua miseria infinita faceva parte della triste storiella.

La vedova raccontò:

– Eravamo sposi da pochi mesi; eravamo benestanti, sorella cara: avevamo frumento, patate, castagne, uva secca, terre, case, cavallo e cane. Mio marito era proprietario; spesso non aveva che fare e s'annoiava. Allora diceva: «Voglio diventar negoziante; così ozioso non posso vivere, perché sono sano, forte, abile, e mentre sto in ozio mi vengono le cattive idee». Però non avevamo capitali abbastanza perché egli potesse fare il negoziante. Allora un suo amico gli disse: «Zuanne Atonzu, vuoi prender parte ad una *bardana?* Si andrà in gran numero, guidati da

---

[4] *Bardana*: da *gualdana*, impresa brigantesca per la quale si radunavano in gran numero malfattori armati che andavano così uniti ad assaltare un ovile, una casa, a rapire un armento, a commettere una grassazione.

banditi abilissimi, e si assalterà, in un paese lontano, la casa di
un cavaliere che ha tre casse piene d'argenteria e di monete. Un
uomo di quel paese è venuto apposta nel *Capo di Sopra* [5] per
raccontare la cosa ai banditi, invitandoli a fare una *bardana*; egli
stesso ci indicherà la via. Ci son foreste da attraversare, montagne da salire, fiumi da guadare. Vieni». Mio marito mi svela
l'invito del suo amico. «Ebbene,» dico io, «che bisogno hai tu
dell'argenteria di quel cavaliere?» «No, risponde mio marito,
io sputo sulla forchetta che può spettarmi dopo il bottino,
ma ci son foreste e montagne da attraversare, cose nuove da
vedere, ed io mi divertirò. Sono poi curioso di vedere come i
banditi se la caveranno. Non accadrà niente di male, via; tanti
altri giovani verranno, come me, per dar prova di abilità e per
passare il tempo. Ebbene, non è peggio se vado alla bettola
e mi ubriaco?» Io piansi, scongiurai, – continuò la vedova,
sempre torcendo il filo con le dita scarne, e seguendo con
gli occhi cupi il movimento del fuso, – ma egli partì. Disse
di recarsi a Cagliari per affari... Egli partì, – ripeté la donna,
con un sospiro, – ed io rimasi sola: ero incinta. Dopo seppi
come andarono i fatti. La compagnia era composta di circa
sessanta uomini: viaggiavano a piccoli gruppi, ma di tanto in
tanto si riunivano in certi punti stabiliti, per deliberare sul
da farsi. Serviva da guida l'uomo del paese verso cui erano
diretti. Capitano della *bardana* era il bandito Corteddu, un
uomo dagli occhi di fuoco e col petto coperto di pelo rosso;
un gigante Golia, forte come il lampo. Nei primi giorni del
viaggio piovette, si scatenarono uragani, i torrenti straripa-
rono, il fulmine colpì uno della compagnia. Di notte pro-
cedevano al fulgore dei lampi. Allora, arrivati in una foresta
vicina al Monte dei Sette Fratelli, il capitano riunì i capi della

_____

5 *Capo di Sopra*: La provincia di Sassari.

bardana e disse: «Fratelli miei, i segni del cielo non sono per noi propizi. L'impresa riuscirà male; inoltre sento l'odore del tradimento; credo che la guida sia una spia. Facciamo una cosa: sciogliamo la compagnia; vuol dire che l'impresa si farà un'altra volta». Molti approvarono la proposta, ma Pilatu Barras, il bandito d'Orani, che aveva il naso d'argento perché il vero glielo aveva portato via una palla, sorse e disse: «Fratelli in Dio, – egli usava sempre dire così, – fratelli in Dio, io respingo la proposta. No. Se piove non vuol dire che il cielo non ci protegga: anzi un po' di disagio fa bene, abitua i giovani a vincere la mollezza. Se la guida ci tradisce la ammazzeremo. Avanti, puledri!» Corteddu scosse la testa di leone, mentre un altro bandito mormorava con disprezzo: «Si vede che colui non può fiutare!» Allora Pilatu Barras gridò: «Fratelli in Dio, sono i cani che fiutano, non i cristiani! Il mio naso è d'argento e il vostro è di osso di morto. Ebbene, ecco che cosa io vi dico: se noi sciogliamo ora la compagnia sarà un brutto esempio di viltà; pensate che fra noi ci sono dei giovani alle prime armi; essi non chiedono che di spiegare la loro abilità come si spiega una bandiera nuova; se ora invece voi li mandate via, date loro esempio di vigliaccheria, ed essi ritorneranno fra la cenere dei loro focolari, resteranno oziosi e non saranno più buoni a niente. Avanti, puledri!» Allora altri capi diedero ragione a Pilatu Barras e la compagnia andò avanti. Corteddu aveva ragione, la guida li tradiva. Entro la casa del ricco cavaliere stavano nascosti i soldati: si combatté e molti banditi rimasero feriti, altri vennero riconosciuti, uno fu ucciso. Perché non lo riconoscessero, i compagni lo denudarono, gli tagliarono la testa, la portarono via con le vesti e la seppellirono nella foresta. Mio marito fu riconosciuto e perciò dovette farsi bandito... Io abortii.

Mentre parlava la donna aveva cessato di filare e aveva steso le mani al fuoco. Olì rabbrividiva di freddo, di terrore e di piacere: come il racconto della vedova era orribile e bello! Ah! Ed essa, Olì, aveva sempre creduto che i banditi fossero gente malvagia! No, erano poveri disgraziati, spinti al male dalla fatalità, come era stata spinta lei.

– Ora ceniamo, – disse la donna, scuotendosi. Si alzò, accese una primitiva candela di ferro nero, e preparò la cena: patate e sempre patate: da due giorni Olì non mangiava altro che patate e qualche castagna.

– Anania è vostro parente? – chiese la fanciulla dopo un lungo silenzio, mentre cenavano.

– Sì, mio marito era parente di Anania, ma in ultimo grado, poiché anche lui non era fonnese natìo. I suoi avi erano di Orgosolo. Però Anania non rassomiglia punto al *beato*,[6] – rispose la donna scuotendo il capo con disprezzo. – Ah, sorella cara, mio marito si sarebbe appiccato ad una quercia prima di commettere l'azione vile di Anania.

Olì si mise a piangere; fece chinare la testa del piccolo Zuanne sulle sue ginocchia, gli strinse una manina sporca e dura, e pensò ai suoi fratellini abbandonati.

– Essi saranno come gli uccellini nudi entro il nido, quando la madre, ferita dal cacciatore, non torna da loro. Chi darà loro da mangiare? Chi farà loro da madre? Pensate che l'ultimo, il più piccolo, non si sa ancora vestire né spogliare.

– Dormirà vestito, allora! – rispose la vedova per confortarla. – Perché piangi, idiota? Dovevi pensarci prima: ora è inutile. Abbi pazienza. Iddio Signore non abbandona gli uccelli del nido.

– Che vento! Che vento! – si lamentò poi Olì. – Credete voi ai morti?

---

6 *Al beato*: Al morto.

– Io? – disse la vedova, spegnendo la candela e riprendendo il fuso. – Io non credo né ai morti né ai vivi...

Zuanne sollevò il capo, disse piano piano: – *io cì!* – e nascose ancora il viso in grembo ad Olì.

La vedova riprese i suoi racconti:

– Io poi ebbi un altro figlio, che ora ha otto anni ed è già servetto in un ovile. Poi ebbi questo. Ah, siamo ben poveri adesso, sorella cara; mio marito non era un ladrone, no; viveva del suo e perciò dovemmo vendere tutto, tranne questa casa.

– Come morì? – domandò la fanciulla, accarezzando la testa del bimbo che pareva addormentato.

– Come morì? In un'*impresa*. Egli non stette mai in carcere, – osservò con fierezza la vedova, – sebbene la giustizia lo ricercasse, come il cacciatore ricerca il cinghiale. Egli però sfuggiva abilmente ad ogni agguato, e mentre la giustizia lo cercava sui monti, egli passava la notte qui, sì, proprio qui, davanti a questo focolare, dove stai seduta tu...

Il bimbo sollevò la testa, con le grandi orecchie improvvisamente accese, poi la riabbassò sul grembo di Olì.

– Sì, proprio lì. Una volta, due anni or sono, seppe che una pattuglia doveva percorrere la montagna ricercandolo. Allora mi mandò a dire: «Mentre i dragoni mi ricercheranno, io prenderò parte ad una *impresa*; al ritorno passerò la notte in casa; mogliettina mia, aspettami». Io aspettai, aspettai, tre, quattro notti: filai un rotolo di lana nera.

– Dove era andato?

– Non te lo dissi? Ad una *impresa*, ad una *bardana*, ecco! – esclamò la vedova con una certa impazienza: poi riabbassò la voce: – io aspettai quattro notti, ma ero triste: ogni passo che udivo mi faceva battere il cuore; e le notti passavano, il mio cuore si stringeva, si faceva piccolo come il seme d'una mandorla. Alla quarta notte udii battere alla porta e aprii. «Donna, non aspettare più», mi disse un uomo mascherato. E mi diede il gabbano di mio marito. Ah!

La vedova diede un sospiro che parve un grido, poi tacque; e Olì la fissò a lungo, ma ad un tratto il suo sguardo seguì lo sguardo atterrito di Zuanne. Le manine del bimbo, dure e brune come zampe d'uccello, si agitavano e additavano la parete.

– Che hai? Che cosa vedi?

– Un *motto*... – egli sussurrò.

– Ma che morto!... – ella disse ridendo, improvvisamente allegra.

Ma quando fu a letto, sola, in una specie di soffitta grigia e fredda, sul cui tetto il vento urlava ancora più tonante, smuovendo e sbattendo le assi, ella ripensò ai racconti della vedova, all'uomo mascherato che le aveva detto: «donna, non aspettare più!» al lungo gabbano nero, al bimbo che vedeva i morti, agli uccellini nudi del nido abbandonato, ai suoi poveri fratellini, ai tesori di Anania, alla notte di San Giovanni, a sua madre morta; ed ebbe paura e si sentì triste, così triste che, sebbene si ritenesse dannata all'inferno, desiderò di morire.

CAPITOLO II

Il figlio di Olì nacque a Fonni, al cominciare della primavera. Per consiglio della vedova del bandito, che lo tenne a battesimo, fu chiamato Anania: egli passò a Fonni la sua infanzia, e ricordò sempre con nostalgia quel bizzarro paese adagiato sulla cima d'un monte come un avoltoio in riposo. Durante il lungo inverno tutto era neve e nebbia; ma in primavera l'erba invadeva anche i ripidi viottoli del paese, selciati di grosse pietre, dove gli scarafaggi si addormentavano beatamente al sole, e le formiche uscivano dalle loro buche, e vi rientravano e vi si aggiravano attorno indisturbate. Le casupole di pietra bruna, coi tetti di *scandule* (scheggie) sovrapposte a guisa di squame di pesce, aprivano sui viottoli le porticine nere, i balconi di legno corroso, le scalette talvolta inghirlandate di vite; il pittoresco campanile della Basilica dei Martiri, emergente dal verde delle quercie del vecchio cortile del convento, dominava il quadretto del paese, disegnato sul cielo di cristallo azzurrino.

Un orizzonte favoloso circonda il villaggio: le alte montagne del Gennargentu, dalle vette luminose quasi profilate d'argento, dominano le grandi valli della Barbagia, che salgono, immense conchiglie grigie e verdi, fino alle creste ove Fonni, con le sue case di scheggia e i suoi viottoli di pietra, sfida i venti e i fulmini.

D'inverno il paese era quasi deserto, perché i numerosi pastori nomadi che lo popolavano (uomini forti come il vento e astuti come volpi) scendevano con le greggie nelle tiepide

pianure meridionali; ma durante il bel tempo un bizzarro viavai di cavalli, di cani, di pastori vecchi e giovani, animava le
straducole.

Anche Zuanne, il figlio della vedova, a undici anni era già
pastore. Durante la giornata conduceva al pascolo attraverso i
selvaggi dintorni del paese un certo numero di capre apparte-
nenti a diverse famiglie fonnesi; all'alba egli passava fischian-
do lungo le vie, e le capre, che ne conoscevano il fischio,
uscivano dalle case e lo seguivano mansuete. Verso sera egli
le riconduceva fino all'entrata del villaggio; di là le intelligenti
bestie s'avviavano da sole alle case dei loro padroni.

Il piccolo Anania seguiva quasi sempre il suo amico e fratello Zuanne dalle grandi orecchie: entrambi costantemente
scalzi, con ghette e giubboncino di orbace, lunghi e sudici
calzoni di grossa tela, berretto di pelo di montone. Anania
aveva sempre gli occhi malaticci, e in conseguenza cisposi;
dal suo nasino rosso colava continuamente un umore salato
che egli non esitava a leccarsi, od a spandere con la manina
sporca, di qua e di là dal naso, formandosi in tal modo due
baffi di crosta d'una materia indefinibile.

Mentre le capre pascolavano nei dintorni montuosi del
paese, fra i cespugli aromatici e le roccie verdi di caprifoglio,
i due bambini girovagavano, scendevano verso la strada per
lanciare sassolini a chi passava, penetravano nelle piantagioni
di patate, dove lavoravano le donne solerti, cercavano all'ombra umida dei noci giganteschi qualche frutto sbattuto dal
vento. Zuanne era alto e svelto, Anania più forte e più ardito.
Entrambi bugiardi di una forza unica e agitati da fantasie bar-
bare, Zuanne parlava sempre di suo padre, lodandolo e pro-
ponendosi di seguirne l'esempio e di vendicarne la memoria,
e Anania voleva diventar soldato.

— Io t'arresterò, — diceva tranquillamente; e Zuanne rispondeva con ardore:

– Ed io t'ammazzerò.

Quindi giocavano spesso *ai banditi*, armati di fucili di canna. Avevano certo uno sfondo adatto, ed Anania non riusciva mai a scovare il bandito, sebbene Zuanne, dalla macchia dove si celava, imitasse la voce del cuculo. Un cuculo vero rispondeva in lontananza, e spesso i due bambini, smessi i feroci propositi, s'avviavano in cerca del melanconico uccello; ricerca non meno infruttuosa di quella del bandito. Quando sembrava loro di esser vicini al covo misterioso, il grido triste singhiozzava più lontano, più lontano ancora. Allora i due fratellini di sventura, affondati fra l'erba e sdraiati sul musco delle roccie, si contentavano di interrogare il cuculo.

Zuanne era modesto; chiedeva soltanto:

> *Cuccu bellu agreste,*
> *Narami itte ora est;* [7]

e l'uccello rispondeva con sette gridi, mentre invece potevano esser le dieci. Ciò nonostante Anania slanciava le sue coraggiose domande:

> *Cuccu bellu 'e mare*
> *Cantos annos bi cheret a m'isposare?* [8]

– Cu-cu-cu-cu...

– Quattro anni, diavolo! Ti sposi presto!... – canzonava Zuanne.

– Sta zitto, ché non ha sentito bene.

---

[7] Cuculo bello agreste. – Dimmi che ora è.

[8] Cuculo bello del mare, – Dimmi quanti anni ci vogliono ancora perché io mi sposi?

> *Cuccu bellu 'e lizu*
> *Cantos annos bi cheret a fagher fizu?* [9]

Qualche volta il cuculo dava un numero ragionevole; e i due bimbi, nel silenzio immenso del luogo, interrotto solo dalla voce del melanconico oracolo, continuavano le domande non sempre allegre:

> *Cuccu bellu 'e sorre,*
> *Cantos annos bi cheret a mi morrer?* [10]

Una volta Anania si avviò solo per la montagna, e salì e salì per la strada bianca, attraverso le macchie e i blocchi di granito, su per le chine coperte dai fiorellini violetti del serpillo, finché gli parve d'esser giunto ad una cima altissima. Il sole era scomparso, ma dietro le montagne turchine dell'orizzonte pareva che grandi fuochi ardessero mandando in alto, sul cielo tutto rosso, una luce ardentissima. Anania ebbe paura di quel cielo ardente, dell'altezza ove era giunto, del silenzio terribile che lo circondava. Pensò al padre di Zuanne, e si guardò attorno con terrore: ah, benché si proponesse la carriera delle armi aveva paura dei banditi, – mentre Zuanne desiderava vivamente di *vederli*, – ed il lungo gabbano nero sulla parete fuligginosa gli faceva spavento. Ridiscese quasi rotolando dalla cima dove aveva veduto il cielo tutto rosso e le montagne turchine, e a Zuanne, che lo chiamava urlando, raccontò dove era stato e che *li aveva veduti*. Il figlio della vedova, dapprima irritatissimo, si commosse e guardò Anania con rispetto; poi entrambi rientrarono in paese pensierosi e

---

[9] Cuculo bello del giglio, – Quanti anni ci vogliono ancora perché io abbia un figlio?

[10] Cuculo bello di sorella, – Quanti anni ci vogliono perché io muoia?

taciturni, seguiti dalle capre i cui campanacci risonavano tristemente nel silenzio del crepuscolo.

Quando non seguiva Zuanne, il piccolo Anania passava la giornata nel grande cortile della chiesa dei Martiri, coi figli del fabbricante di ceri, il cui laboratorio era in uno stambugio addossato alla chiesa. Grandi alberi ombreggiavano il cortile melanconico, circondato di tettoie in rovina: una scalinata di pietra conduceva alla chiesa, sulla cui facciata semplicissima stava dipinta una croce. Su questa scalinata Anania ed i figli del fabbricante di ceri passavano ore ed ore, al sole appena tiepido, giocando con qualche pietruzza, o fabbricando piccoli ceri di creta. Alle finestre dell'antico convento s'affacciava qualche carabiniere annoiato: nell'interno delle celle si scorgevano stivali e giubbe militari, e si udiva una voce cantare in falsetto, con accento napoletano:

A te questo rosario...

Qualche fraticello, - degli ultimi rimasti nell'umido e decadente luogo, - lacero, sporco, coi sandali rotti, passava nel cortile, pregando in dialetto: spesso il carabiniere dalla finestra, il frate dalla scalinata, s'intrattenevano in puerili discorsi coi bimbi del cortile; qualche volta il carabiniere si rivolgeva direttamente ad Anania chiedendogli notizie di sua madre:

– E cosa fa tua madre?

– Fila.

– E altro?

– Va alla fonte.

– Dille che venga qui, ché ho da parlarle.

– Sissignore, – rispondeva il piccolo innocente.

E riferiva la cosa ad Olì, ed Olì gli somministrava in risposta qualche paio di schiaffi e gli proibiva di tornare nel cortile (eppure una volta egli la vide discorrere con un carabiniere) ma egli naturalmente non obbediva, perché non sapeva vivere se non con Zuanne o coi figli del fabbricante di ceri.

Tranne la domenica e i giorni della gran festa dei Martiri, in primavera, una solitudine triste regnava nel grande cortile soleggiato, sotto le tettoie in rovina, piene d'odor di cera, sotto l'enorme noce che ad Anania sembrava più alto del Gennargentu, e nell'interno della Basilica, le cui pitture e gli stucchi pareva si consumassero per l'abbandono e l'oblio in cui erano lasciati; eppure egli ricordò sempre con dolcezza nostalgica quel luogo deserto, dove in primavera l'avena cresceva fra le pietre, ed in autunno le foglie rugginose del noce cadevano come ali d'uccelli morti, Zuanne, che si struggeva per il desiderio di giocare nel cortile, e s'annoiava quando Anania non lo seguiva, era geloso dei figli del ceraiuolo e faceva di tutto perché l'amico non li frequentasse.

– Vieni domani con me, – diceva ad Anania, mentre arrostivano le castagne sulle brage del focolare. –T'insegnerò dove si trova un nido di lepri. Ce ne sono tante, vedi, così piccole che sembrano le dita di una mano: e sono nude, con le orecchie lunghe. Eh, come sono lunghe quelle orecchie, diavolo! – concludeva, fingendo meraviglia.

Anania andava in cerca delle lepri e naturalmente non le trovava. L'altro giurava che prima c'erano, che dovevano essere scappate, e peggio per Anania che non era andato prima.

– Tu vai con *quelli*, – diceva con disprezzo. – Peggio per te: ora le lepri fattele di cera! Vedi, se venivi ieri con me!

– E perché non le hai prese tu?

– Volevo prenderle con te, ecco; ora vediamo se troviamo il nido della cornacchia.

Il piccolo pastore faceva di tutto per trattenere Anania, ma il bimbo cominciava ad aver freddo lassù, ai piedi del monte già coperto di nebbia, e tornava in paese. Di sua madre, in quel tempo, egli serbò pochi ricordi perché la vedeva di rado; ella stava sempre fuori; lavorava a giornata per le case o pei campi, nelle coltivazioni di patate, e ritornava verso sera, lacera, livida dal freddo, affamata. Da lungo tempo il padre di Anania non era più tornato a Fonni, anzi il bambino non si ricordava di averlo mai veduto.

Chi faceva un po' da madre al piccolo bastardo era la vedova del bandito: essa lo aveva cullato, lo aveva addormentato tante volte con la nenia melanconica di strane canzoni; tante volte gli aveva pulito la testa, tante volte tagliato le unghie dei piedini e delle manine terrose, e gli aveva soffiato violentemente il naso. Ogni sera, filando accanto al fuoco, ella narrava le gesta eroiche del bandito; i bambini ascoltavano avidamente, ma Olì non si commoveva più, anzi spesso rintuzzava la vedova, o abbandonava il focolare e andava a coricarsi nel suo giaciglio. Anania dormiva con lei, ai piedi del letto: spesso trovava sua madre già addormentata, ma fredda, gelida, e cercava di riscaldarle i piedi coi suoi piedini caldi.

Talvolta la sentiva singhiozzare, nel silenzio della notte, ma non osava chiederle che avesse, perché aveva soggezione di lei: però si confidò con Zuanne, che a sua volta gli spiegò certe cose.

– Devi sapere che tu sei un bastardo, cioè tuo padre non è marito di tua madre. Ce ne sono molti così, sai.

– E perché non l'ha sposata?

– Perché ha un'altra moglie: la sposerà quando questa muore.

– E quando muore, questa?

– Quando Dio vuole. Devi sapere che tuo padre prima veniva a trovarci, io lo conosco, sai.

– Com'è? – chiedeva Anania, corrugando le ciglia, con un

impeto di odio istintivo verso quel padre sconosciuto che non veniva a trovarlo, e certo che sua madre piangeva per il suo abbandono.

— Ecco, — diceva Zuanne, interrogando i suoi ricordi, — è bello, alto, sai, con gli occhi come lucciole. Ha un cappotto da soldato.

— Dove si trova?

— A Nuoro. Nuoro è una città grande, che si vede dal Gennargentu. Io conosco il Monsignore di Nuoro perché mi ha cresimato.

— Ci sei stato tu, a Nuoro?

— Sì, io ci sono stato, — mentiva Zuanne.

— Non è vero, tu non ci sei stato. Io mi ricordo che tu non ci sei stato.

— Io ci sono stato prima che tu nascessi; ecco, se vuoi saperlo!

Anania, dopo questi discorsi, seguiva volentieri Zuanne anche quando aveva freddo, e continuamente gli domandava notizie di suo padre, di Nuoro, della strada che bisognava percorrere per arrivare alla città. E quasi ogni notte sognava questa strada, e vedeva una città con tante chiese, con palazzi, circondata da montagne ancora più alte del Gennargentu.

Una sera, agli ultimi di novembre, Olì, dopo essere stata a Nuoro per la festa delle Grazie, litigò con la vedova; già da qualche tempo ella si bisticciava con tutte le persone che incontrava, e percuoteva i bambini.

Anania la sentì piangere tutta la notte, e sebbene il giorno prima ella lo avesse bastonato, provò una grande pietà per lei: avrebbe voluto dirle:

— Tacete, mamma mia: Zuanne dice che se fosse come me, quando sarebbe grande andrebbe a Nuoro per cercare il padre e imporgli di venirvi a trovare: io ci voglio andare ora, invece:

lasciatemi andare, mamma mia...

Ma non osava fiatare.

Era notte ancora quando Olì si alzò: scese in cucina, risalì, ritornò a scendere, rientrò con un fagotto.

– Alzati, – disse al ragazzetto.

Poi lo aiutò a vestirsi e gli mise intorno al collo una catenella dalla quale pendeva un sacchettino di broccato verde, fortemente cucito.[11]

– Cosa c'è dentro? – chiese il bimbo, palpando il sacchettino.

– Una *ricetta* che ti porterà fortuna; me la diede un vecchio frate che incontrai in viaggio.... Tieni sempre il sacchettino sul seno nudo; non perderlo mai.

– Come era il vecchio frate? – chiese Anania, pensieroso.
– Aveva una lunga barba? Un bastone?

– Sì, una lunga barba, un bastone...

– Che fosse *lui?*

– Chi lui?

– Gesù Cristo Signore...

– Forse... – disse Olì. – Ebbene, promettimi che non perderai né darai mai a nessuno il sacchettino. Giuramelo.

– Ve lo giuro, sulla mia coscienza! – rispose Anania gravemente. – È forte la catenella?

– È forte.

Olì prese il fagotto, strinse nella sua la manina del fanciullo e lo condusse in cucina dove gli diede una scodellina di caffè e un pezzo di pane. Poi gli gettò sulle spalle un sacchetto logoro e lo trascinò fuori.

---

11 *La rezetta*: questi sacchettini-amuleti contengono o scongiuri o preghiere scritte su un foglietto di carta, o erbe e fiori raccolti la notte di San Giovanni, o pezzetti di carbone, cenere, frammenti della *vera croce*, ecc.

Albeggiava.

Faceva un freddo intensissimo; la nebbia riempiva la valle, copriva l'immensa chiostra dei monti: solo qualche alta cresta nevosa emergeva argentea simile al profilo d'una nuvola bianca, ed il monte Spada appariva or sì or no come un enorme blocco di bronzo tra il velo mobile della nebbia.

Anania e la madre attraversarono le viuzze deserte, passarono davanti al grande panorama occidentale sommerso nella nebbia, cominciarono a scendere lo stradale grigio e umido che si sprofondava giù giù, in una lontananza piena di mistero. Anania si sentì battere il cuoricino: quella strada grigia, vigilata dalle ultime case di Fonni i cui tetti di scheggie parevano grandi ali nerastre spennacchiate, quella strada che scendeva continuamente verso un abisso ignoto colmo di nebbia, era la strada per Nuoro.

Madre e figlio camminavano frettolosi: spesso il bambino doveva correre, ma non si stancava. Era abituato a camminare, ed a misura che scendeva si sentiva più agile, caldo, vispo come un uccello. Più volte chiese:

– Dove andiamo, mamma mia?

– A cogliere castagne, – diss'ella una volta, e poi: – in campagna: lo vedrai.

Anania scendeva, correva, inciampava, rotolava: ogni tanto si palpava il petto in cerca del sacchettino. La nebbia diradavasi; in alto il cielo appariva d'un azzurro umido solcato come da grandi pennellate di biacca: le montagne si delineavano livide nella nebbia. Un raggio giallo di sole illuminava finalmente la chiesetta di Gonare sulla cima del monte piramidale, che sorgeva su uno sfondo di nuvole color piombo.

– Andiamo là? – domandò Anania, additando un bosco di castagni, umidi di nebbia e carichi di frutti spinosi spaccati. Un uccellino strideva nel silenzio dell'ora e del luogo.

– Più avanti, – disse Olì.

Anania riprese le sue corse sfrenate: mai s'era spinto tanto avanti nelle sue escursioni, ed ora questo continuo scendere a valle, la natura diversa, l'erba che copriva le chine, i muri verdi di musco, le macchie di nocciuoli, i cespugli coperti di bacche rosse, gli uccellini che pigolavano, tutto gli riusciva nuovo e piacevole.

La nebbia svaniva, il sole trionfante schiariva le montagne; le nuvole sopra monte Gonare avevano preso un bel colore giallo-roseo, sul cui sfondo la chiesetta appariva chiara e sembrava vicina a chi la guardava.

– Ma dov'è questo diavolo di luogo? – chiese Anania, volgendosi a sua madre con le manine aperte, e fingendosi sdegnato.

– Subito. Sei stanco?

– Non sono stanco! – egli gridò, rimettendosi a correre.

Arrivò però il momento in cui egli cominciò a sentire un piccolo dolore alle ginocchia: allora rallentò la corsa, si pose a fianco di Olì e cominciò a chiacchierare; ma la donna, col suo fagotto sul capo, il viso livido e gli occhi cerchiati, gli badava appena e rispondeva distratta.

– Torneremo stanotte? – egli chiedeva. – Perché non me lo avete lasciato dire a Zuanne? È lontano il bosco? È a Mamojada?

– Sì, a Mamojada.

–Ah, a Mamojada? Quando c'è la festa a Mamojada? È vero che Zuanne è stato a Nuoro? Questa è la strada di Nuoro, io lo so, e ci vogliono dieci ore, a piedi, per arrivare a Nuoro. Voi siete stata a Nuoro? Quando è la festa a Nuoro?

– È passata, era l'altro giorno, – disse Olì, scuotendosi. – Ti piacerebbe stare a Nuoro?

– Altro che! E poi... e poi...

– Tu sai che a Nuoro c'è tuo padre, – rispose Olì, indovinando il pensiero del fanciullo. – Ti piacerebbe stare con lui?

Anania ci pensò; poi disse con vivacità, corrugando le sopracciglia:

– Sì!

A che pensava egli dicendo quel «sì»? La madre non indagò oltre; chiese soltanto:

– Vuoi che ti conduca da lui?

– Sì!

Verso mezzogiorno si fermarono presso un orto dove una donna, con le sottane cucite fra le gambe a guisa di calzoni, zappava vigorosamente: un gatto bianco le andava dietro, slanciandosi di tanto in tanto contro una lucertola verde che appariva e scompariva fra le pietre del muro.

Anania ricordò sempre questi particolari. La giornata s'era fatta tiepida, il cielo azzurro; le montagne, come asciugantisi al sole, apparivano grigie, chiazzate di boschi scuri; il sole, quasi scottante, riscaldava l'erba e faceva scintillare l'acqua dei ruscelli.

Olì sedette per terra, aprì il fagotto e chiamò Anania che si era arrampicato sul muro per guardare la donna ed il gatto.

In quel momento apparve allo svolto della strada la corriera postale di Fonni, guidata da un omone rosso coi baffi gialli.

Olì avrebbe voluto nascondersi; ma l'omone, che pareva ridesse continuamente perché aveva le guancie gonfie, la vide e gridò:

– Dove vai, donnina?

– Dove mi pare e piace, – ella rispose a voce bassa.

Anania, ancora arrampicato sul muro, guardò entro la vettura, e vedendola vuota disse al carrozziere:

– Prendetemi, zio Battista, prendetemi nella vettura, prendetemi.

– Dove andate? Dunque? – gridò l'omone, rallentando la corsa.

– Ebbene, che tu sii sbranato, andiamo a Nuoro. Vuoi farci la carità di prenderci un po' in vettura? – disse Olì, mangiando. – Siamo stanchi come asini.

– Senti, – rispose l'omone, – va al di là di Mamojada, intanto che io faccio la fermata. Vi prenderò.

Egli tenne la promessa: giunto al di là di Mamojada fece sedere in *serpe* accanto a lui i due viandanti e cominciò a chiacchierare con Olì.

Anania, veramente stanco, sentiva un vivo piacere nel trovarsi seduto fra sua madre e l'omone che scuoteva la frusta, davanti ai freschi paesaggi dallo sfondo azzurrino che si disegnavano nell'arco del mantice.

Le grandi montagne erano scomparse, scomparse per sempre, ed il bambino pensava a quello che avrebbe detto Zuanne sapendo di questo viaggio.

«Quando tornerò quante cose avrò da dirgli!» pensava. «Gli dirò: io sono stato in carrozza e tu no».

– Perché diavolo vai a Nuoro? – insisteva l'omone, rivolto ad Olì.

– Ebbene, vuoi saperlo? – ella rispose finalmente. – Vado per mettermi a servire. Ho già fatto il contratto con una buona signora. A Fonni non potevo più vivere; la vedova di Zuanne Atonzu mi ha cacciato di casa.

«Non è vero,» pensò Anania. Perché sua madre mentiva? Perché non diceva la verità, che cioè andava a Nuoro per cercare il padre di suo figlio? Basta, se ella diceva le bugie doveva aver le sue buone ragioni; e Anania non indagò oltre, tanto più che aveva sonno. Chinò la testina sul grembo della madre e chiuse gli occhi.

– Chi c'è ora nella cantoniera? – chiese ad un tratto Olì. –

Mio padre non c'è più?

– Non c'è più.

Ella diede un profondo sospiro: la vettura si fermò un momento, poi riprese la sua corsa, ed Anania finì di addormentarsi.

A Nuoro egli provò una forte delusione. Era questa la città? Sì, le case erano più grandi di quelle di Fonni, ma non tanto come egli s'era immaginato: le montagne poi, cupe sul cielo violaceo del freddo tramonto, erano addirittura piccole, quasi per far ridere. Inoltre i bambini che s'incontravano per le strade, – le quali, a dire il vero, gli parevano molto larghe, – lo impressionavano stranamente perché vestivano e parlavano in modo diverso dai bambini fonnesi.

Madre e figlio girovagarono per Nuoro fino al cader della sera, ed infine entrarono in una chiesa. C'era molta gente; l'altare ardeva di ceri, un canto dolce s'univa ad un suono ancor più dolce che veniva non si sa da dove. Ah, ciò parve veramente bello ad Anania, che pensava a Zuanne ed al piacere di narrargli quanto ora vedeva.

Olì gli disse all'orecchio:

– Vado a vedere se c'è l'amica presso cui andremo a dormire; non muoverti di qui finché non torno io...

Egli rimase solo in fondo alla chiesa; sentiva un po' di paura, ma si distraeva guardando la gente, i ceri, i fiori, i santi. Eppoi l'incoraggiava il pensiero dell'amuleto nascosto sul suo seno. Ad un tratto si ricordò di suo padre. Ah, dov'era egli? Perché dunque non andavano a trovarlo?

Olì tornò presto; attese che la novena fosse terminata, prese Anania per la mano e lo fece uscire per una porta diversa da quella ov'erano entrati. Camminarono per diverse vie, finché non vi furono più case: era già sera, faceva freddo, Anania aveva fame e sete, si sentiva triste e pensava al focolare della vedova ed alle castagne ed alle chiacchiere di Zuanne.

Arrivarono in un viottolo chiuso da una siepe, dietro la quale si vedevano le montagne che avevano colpito il bimbo per la loro piccolezza.

– Senti, – disse Olì, e la voce le tremava, – hai visto quell'ultima casa con quel gran portone aperto?

– Sì.

– Là dentro c'è tuo padre: tu vuoi vederlo, non è vero? Senti: ora torniamo indietro, tu entri nel portone, di fronte al quale vedrai una porta pure aperta: tu entri là e guardi; c'è un molino ove fanno l'olio; un uomo alto, con le maniche rimboccate, a capo scoperto, va dietro al cavallo. Quello è tuo padre.

– Perché non venite dentro anche voi? – domandò il bimbo.

Olì cominciò a tremare.

– Io entrerò dopo di te: tu va innanzi; appena entrato dici: «Io sono il figlio di Olì Derios». Hai capito? Andiamo.

Ritornarono indietro; Anania sentiva sua madre tremare e battere i denti. Giunti davanti al portone ella si chinò, accomodò il sacchetto sulle spalle del bimbo, e lo baciò.

– Va, va, – disse, spingendolo.

Anania entrò nel portone; vide l'altra porta, illuminata, ed entrò: si trovò in un luogo nero nero, dove una caldaia bolliva sopra un forno acceso, e un cavallo nero faceva girare una grande e pesante ruota oleosa entro una specie di vasca rotonda. Un uomo alto, con le maniche rimboccate, a capo scoperto, con le vesti sudice, nere di olio, andava appresso al cavallo, rimuovendo entro la vasca, con una pala di legno, le olive frantumate dalla ruota. Altri due uomini andavano e venivano, spingendo in avanti e indietro una spranga infilata in un torchio, dal quale colava l'olio nero e fumante.

Davanti al fuoco stava seduto un ragazzetto con un berretto

rosso; e fu questo ragazzetto che primo si accorse del bimbo straniero. Lo fissò bene, e credendolo un mendicante gli impose aspramente:

– Va via!

Anania, timido, immobile sotto il suo sacchetto, non rispose. Vedeva tutto confuso ed aspettava che sua madre entrasse.

L'uomo dalla pala lo guardò con occhi lucenti, poi s'avanzò e chiese:

– Ma che cosa vuoi?

Quello era suo padre? Anania lo guardò timidamente, pronunziando con vocina sottile le parole suggeritegli da sua madre:

– Io sono il figlio di Olì Derios.

I due uomini che giravano il torchio si fermarono di botto, e uno di essi gridò:

– Tuo figliooo!

L'uomo alto gettò per terra la pala, si curvò su Anania, lo fissò, lo scosse, gli chiese:

– Chi... chi ti ha mandato? Cosa vuoi? Dove è tua madre?

– È fuori... adesso verrà...

Il mugnaio corse fuori, seguito dal ragazzetto col berretto rosso; ma Olì era scomparsa e nulla più si seppe di lei.

*
**

Avvertita del caso accorse zia Tatàna, la moglie del mugnaio, una donna non più giovane, ma ancora bella, grassa e bianca, con dolci occhi castanei circondati di piccole rughe, e un po' di baffi biondi sul labbro rialzato. Ella era tranquilla, quasi lieta; appena entrò nel molino prese Anania per gli omeri, si chinò, lo esaminò attentamente.

– Non piangere, poverino, – gli disse con dolcezza. – Or

ora *ella* verrà. E voi zitti! – impose agli uomini e al ragazzetto
che si immischiava forse un po' troppo nella faccenda e fissava Anania con due piccoli occhi turchini cattivi e un sorriso
beffardo nel rosso visino paffuto.

– Dov'è andata? Non viene dunque? Dove la ritroverò? –
si domandava con disperazione il piccolo abbandonato, piangendo sconsolatamente.

Ella avrà avuto paura. Dove sarà adesso? Perché non viene?
E quell'uomo lurido, oleoso, cattivo, quello è suo padre?

Le carezze e le dolci parole di zia Tatàna lo confortarono
alquanto; cessò di piangere, si leccò le lagrime e se le sparse
di qua e di là delle guance, col gesto che gli era abituale; poi
subito pensò alla fuga.

La donna, il mugnaio, gli uomini, il ragazzetto, tutti gridavano, imprecavano, ridevano e si bisticciavano.

– È proprio tuo figlio. Tale e quale! – diceva la donna,
rivolta al mugnaio.

E il mugnaio gridava:

– Non lo voglio, no, non lo vogliooo!...

– Sei ben scomunicato, sei senza viscere. Santa Caterina
mia, è possibile che vi sieno uomini così malvagi? – diceva zia
Tatàna, un po' scherzando, un po' sul serio. – Ah, Anania,
Anania, sei sempre tu!

– E chi dunque vuoi ch'io sia? Ora vado subito in Questura.

– Tu non andrai in nessun posto, stupido! Tu vuoi tirar
fuori di tasca le tue corna per mettertele sul capo!,[12] – osservò
energicamente la donna.

Ma siccome egli insisteva, ella disse:

– Ebbene, andrai domani. Ora finisci il tuo lavoro, e ricordati ciò che diceva il re Salomone: «La furia della sera lasciala

---

12 Espressione locale: Fare scandalo a proprio danno.

alla mattina....»

I tre uomini tornarono al lavoro: ma spingendo sotto la ruota la pasta delle olive frante, il mugnaio gridava, borbottava, imprecava, mentre gli altri lo deridevano e la moglie gli diceva tranquillamente:

– Via, non prenderti poi la porzione più grande.[13] Dovrei arrabbiarmi io, Santa Caterina mia! Ricordati, Anania, che Dio non paga il sabato.

– Taci, figliolino mio, – disse poi al bimbo, che singhiozzava nuovamente, – domani aggiusteremo tutto. Ecco, così gli uccelli volano dal nido appena hanno le ali.

– Ma sapevate voi che quest'uccellino esisteva? – chiese ridendo uno dei due uomini che spingevano la spranga.

– Dove sarà andata tua madre? Com'è fatta, dimmi? – domandò il ragazzetto, mettendosi davanti ad Anania.

– Bustianeddu, – gridò il mugnaio, – se non te ne vai ti mando via a calci...

– E provate un po'! – diss'egli, spavaldo.

– E diglielo dunque tu come è fatta Olì! – esclamò uno dei due uomini.

L'altro rise tanto che dovette abbandonar la spranga e premersi il petto.

Intanto zia Tatàna, premurosa e carezzevole, interrogava il bimbo, esaminandogli le povere vestine. Egli raccontò tutto con vocina incerta e lamentosa, ogni tanto interrotta da singhiozzi.

– Poverino, poverino! Uccellino senz'ali: senz'ali e senza nido! – diceva pietosamente la donna. – Taci, anima mia; tu avrai fame, non è vero? Adesso andiamo a casa, e zia Tatàna ti darà da mangiare, e poi ti manderà a letto, con l'angelo

---

13   Espressione locale: Offendersi, mentre si ha torto.

custode, e domani aggiusteremo tutte le cose.

Con questa promessa ella lo condusse in una casetta vicina al molino, e gli diede da mangiare pane bianco e formaggio, un uovo ed una pera.

Mai Anania aveva mangiato tanto bene: e la pera, dopo le carezze materne e le dolci parole di zia Tatàna, finì di confortarlo.

– Domani... – diceva la donna.

– Domani... – ripeteva il fanciulletto.

Mentre egli mangiava, zia Tatàna, che preparava la cena per il marito, lo interrogava e gli dava buoni consigli, avvalorandoli con l'affermare che erano già stati dettati dal re Salomone ed anche da Santa Caterina.

Ad un tratto, sollevando gli occhi ella scorse alla finestruola il visetto paffuto di Bustianeddu.

– Va via, – disse, – va via, piccola rana. Fa freddo.

– Lasciatemi dunque entrare, – egli supplicò. – Fa freddo davvero.

– Va dunque al molino.

– No, c'è mio padre che mi ha mandato via. Ih, quanta gente è venuta là!

– Entra dunque, povero orfano, anche tu senza madre! Che cosa dice zio Anania? Grida ancora?

– E lasciatelo gridare! – consigliò Bustianeddu, sedendosi accanto ad Anania, e raccogliendo e rosicchiando il torso della pera, abbastanza rosicchiato e già buttato via dal piccolo straniero.

– Son venuti tutti, – raccontò poi, parlando e gestendo come un uomo maturo. – Maestro Pane, mio padre, zio Pera, quel bugiardone di Franziscu Carchide, zia Corredda, tutti vi dico insomma...

– Che cosa dicevano? – chiese la donna con viva curiosità.

– Tutti dicevano che dovete adottare questo bambino. E zio Pera diceva ridendo: «Anania, e a chi dunque lascerai i tuoi beni, se non tieni il bambino?» Zio Anania lo rincorse con la pala; tutti ridevano come pazzi.

La donna dovette esser vinta dalla curiosità, perché ad un tratto raccomandò a Bustianeddu di non lasciar solo Anania ed uscì per tornare al molino.

Rimasti soli, Bustianeddu cominciò a fare qualche confidenza al piccolo abbandonato.

– Mio padre ha cento lire nel cassetto del canterano, ed io so dove è la chiave. Noi abitiamo qui vicino, e abbiamo un podere per il quale paghiamo trenta lire di imposta: ma l'altra volta venne il commissario e sequestrò l'orzo. Cosa c'è qui, dentro il tegame, che fa cra-cra-cra? Ti pare che prenda fumo? – sollevò il coperchio e guardò. – Diavolo, ci son patate. Credevo fosse altro. Ora assaggio.

Con due ditina prese una fetta bollente, ci soffiò sopra più volte, se la mangiò; ne prese un'altra...

– Che cosa fai? – disse Anania, con un po' di dispetto. – Se viene quella donna!...

– Noi sappiamo fare i maccheroni, io e mio padre, – riprese imperturbato Bustianeddu. – Tu li sai fare? E il sugo?

– Io no, – disse Anania, melanconico.

Pensava sempre a sua madre, assediato da tristi domande. Dove era andata? Perché non era entrata nel molino? Perché lo aveva abbandonato e dimenticato? Adesso che aveva mangiato e sentiva caldo, egli aveva voglia di piangere ancora, di fuggire. Fuggire! Cercar sua madre! Questa idea lo afferrò tutto e non lo lasciò più.

Poco dopo rientrò zia Tatàna, seguìta da una donna lacera, barcollante, che aveva un gran naso rosso ed una enorme bocca livida dal labbro inferiore penzolante.

– È questo... è questo... l'uccellino?... – chiese balbettando l'orribile donna: e guardò con tenerezza il piccolo abbandonato. – Fammi vedere la tua faccina, che tu sii benedetto! È bello come una stella, in verità santa! E lui non lo vuole? Ebbene, Tatàna Atonzu, raccoglilo tu, raccoglilo come un confetto...

Si avvicino e baciò Anania, che torse il viso con disgusto perché l'enorme bocca della donna puzzava d'acquavite e di vino.

– Zia Nanna, – disse Bustianeddu, facendo cenno di bere, – oggi l'avete presa giusta!

– Co... co... cosa sai tu? Che fai qui? Moscherino, povero orfano, va' a letto.

– Anche tu dovresti andare a letto! – osservò zia Tatàna. – Andate, andate via tutti e due: è tardi.

Spinse dolcemente l'ubriaca, ma prima d'uscire ella chiese da bere. Bustianeddu riempì d'acqua una scodella e gliela porse: ella la prese con buona grazia, ma appena v'ebbe guardato dentro, scosse il capo e la rifiutò. Poi andò via traballando. Zia Tatàna mandò via anche Bustianeddu e chiuse la porta.

– Tu sarai stanco, anima mia; adesso ti metterò a dormire, – disse ad Anania, conducendolo in una grande camera attigua alla cucina e aiutandolo a spogliarsi. – Non aver paura, sai; domani tua madre verrà, o andremo a cercarla noi. Sai farti il segno della croce? Sai il *Credo*? Sì, bisogna recitare il *Credo* tutte le notti. Poi io ti insegnerò tante altre preghiere, una delle quali per San Pasquale che ci avvertirà dell'ora della nostra morte. E così sia. Ah, tieni anche la *rezetta*? E come è bella! Sì, bravo, San Giovanni ti proteggerà: sì, egli era un bimbo ignudo come te, eppure battezzò Gesù Signore Nostro. Dormi, anima mia: in nome del Padre, del Figliuolo e dello Spirito Santo. *Amen.*

Anania si trovò in un gran letto dai guanciali rossi; zia Tatàna lo coprì bene ed uscì, lasciandolo al buio. Egli mise la manina sull'amuleto, chiuse gli occhi e non pianse, ma non poté dormire.

Domani... Domani... Ma quanti anni erano trascorsi dopo la partenza da Fonni? Che pensava Zuanne non vedendo ritornare l'amico? Pensieri confusi, immagini strane gli passavano nella piccola mente; ma la figura della madre non lo abbandonava mai. Dov'era andata? Aveva freddo? Domani la rivedrebbe... Domani... Se non lo conducevano da lei egli fuggirebbe... Domani...

Sentì il mugnaio rientrare e litigare con la moglie: il cattivo uomo gridava:

– Non lo voglio! Non lo voglio!

Poi tutto fu silenzio. Ad un tratto qualcuno aprì l'uscio, entrò, camminò in punta di piedi, s'avvicinò al letto e sollevò cautamente la coperta. Un baffo ispido sfiorò lievemente la guancia di Anania, ed egli, che fingeva di dormire, socchiuse appena appena un occhio e vide che chi l'aveva baciato era suo padre.

Pochi momenti dopo zia Tatàna entrò e si coricò nel gran letto, a fianco di Anania, che la sentì lungamente pregare bisbigliando e sospirando.

CAPITOLO III

Nessuno denunziò alle autorità l'abbandono del piccolo Anania, ed Olì poté scomparire indisturbata. Non si seppe mai precisamente dove ella fosse andata: ma qualcuno disse di averla veduta sul piroscafo che faceva il servizio fra la Sardegna e Civitavecchia: e qualche tempo dopo un negoziante fonnese, ch'era stato in continente per affari, assicurò di aver incontrato Olì a Roma, vestita da signora, in compagnia di allegre donnine, e di aver passato qualche ora con lei.

Tutte queste cose si dicevano nel molino, presente il fanciulletto che ascoltava avidamente. Simile ad una bestiola selvatica, in apparenza addomesticata, egli meditava continuamente la fuga: come a Fonni, mentre viveva con la madre, desiderava di fuggire per andare alla ricerca del padre, ora che il suo sogno s'era avverato, non pensava che ad un viaggio per ritrovare Olì. Tanto meglio se ella era lontana, al di là del mare; più ella era lontana, più egli si sentiva capace di ritrovarla. Eppure egli non la amava: non la amava perché da lei aveva sempre ricevuto più busse che carezze, e l'affronto dell'abbandono, di cui sentiva istintivamente tutta la vergogna; ma non amava neppure suo padre, quell'uomo oleoso che, nei primi istanti dell'abbandono, lo aveva accolto con odio e quindi gli aveva destato un senso di terrore e di repugnanza; quell'uomo infine che lo baciava in segreto e davanti alla gente lo maltrattava e lo umiliava continuamente.

Zia Tatàna, però, lo proteggeva e lo amava, ed egli a poco

a poco le si affezionò: ella lo lavava, lo pettinava, lo vestiva, gli insegnava le preghiere e i precetti del re Salomone, lo conduceva in chiesa, lo faceva dormire con lei, gli dava cose buone da mangiare. In poco tempo egli si trasformò, ingrassò e diventò addirittura un signore, abbandonando il rozzo costume fonnese per un abituccio di fustagno scuro. Inoltre cominciò a parlar nuorese e ad assumere i modi spigliati di Bustianeddu.

Ma il suo cuoricino non cambiava, non poteva cambiare. Strani sogni di fughe, di avventure, di avvenimenti straordinari si confondevano, nella piccola anima, con l'istintiva nostalgia per il luogo natìo, per le persone e le cose perdute; col desiderio della libertà selvaggia fino allora goduta, ed infine col sentimento arcano di pietà e di vergogna, col pensiero costante, col segreto anelito per la madre lontana.

Egli anelava a qualche cosa d'ignoto, voleva sua madre perché tutti avevano la madre, e perché il non averla gli causava, più che dolore, umiliazione. Capiva che ella non poteva stare col mugnaio, perché costui aveva un'altra moglie; ma fra i due, egli avrebbe preferito vivere con lei. Forse istintivamente intuiva già che ella era la più debole, e anche per ciò si sentiva dalla sua parte.

A misura che il tempo passava, questi sentimenti si attenuavano, ma non scomparivano dal piccolo cuore; come nella piccola memoria si trasformava ma non spariva la figura fisica e morale della madre lontana.

Un giorno poi egli venne a sapere da Bustianeddu, che lo perseguitava con la sua amicizia subita più che accettata, una cosa straordinaria.

– Mia madre non è morta, – gli confidò il ragazzetto, quasi vantandosene. – Si trova anch'essa in continente, come la tua: scappò una volta che mio padre stette in carcere. Ma quando sarò grande andrò a trovarla; eh, sì, te lo giuro! Eppoi io ho anche uno zio, che studia in continente; ed egli scrisse d'aver veduto mia madre passare in una via, e voleva bastonarla, ma la gente lo tenne fermo. Ecco, questo berretto rosso era di mio zio.

Questa breve storia confortò Anania, e lo legò di viva amicizia con Bustianeddu. Essi trascorsero molti anni assieme: nel frantoio, nella casa di zia Tatàna, per le straducole del vicinato. Bustianeddu aveva quasi la stessa età di Zuanne, l'amico perduto, e in fondo era generoso e ardente. Andava o diceva d'andare a scuola, ma spesso il maestro scriveva un bigliettino al padre per chiedere notizie dell'invisibile scolaro: allora il genitore, che era un piccolo negoziante di lana e di pelli, legava il bimbo con una corda di pelo e lo chiudeva in una stanza, imponendogli di studiare. Come i delinquenti dal carcere, Bustianeddu usciva da questa specie di prigionia più astuto e indurito di prima. Solo durante le lunghe e frequenti assenze del padre, egli, solo in casa, diventava serio: pareva sentisse la responsabilità della sua posizione; guardava la casa, scopava, preparava da mangiare, lavava la biancheria. Spesso Anania lo aiutava di gran cuore; in cambio Bustianeddu gli dava qualche consiglio e gli insegnava molte cose buone e moltissime cattive. Passavano buona parte delle giornate e delle lunghe sere fredde nel molino, ove Anania *grande*, – come lo chiamavano per distinguerlo dal figlio, – lavorava per conto del ricco signor Daniele Carboni, al quale il frantoio apparteneva.

Il mugnaio, – che secondo le stagioni si trasformava in contadino, in ortolano, in vignaiuolo, – dava al signor Carboni il rispettoso titolo di *padrone* perché lo serviva da lunghi anni, ma in realtà il suo lavoro era molto indipendente, ben rimunerato e non privo di incerti.

Il frantoio dava da una parte su un cortile e dall'altra su un orto che scendeva fino allo stradale sopra la valle; un bell'orto alquanto selvatico, con roccie, siepi di biancospino e di fichi d'India, peschi e mandorli e una quercia dal tronco corroso, nido di grosse termiti, di cavallette, di bruchi e d'uccelli.

Anche quest'orto apparteneva al signor Carboni, ed era il sogno di tutti i monelli del vicinato; ma zio Pera *Sa Gattu* (il gatto) il vecchio ortolano sempre armato d'un randello, non lasciava mai penetrare nessuno. Da quest'orto si vedevano le belle ed agili fanciulle nuoresi scendere alla fontana con l'anfora sul capo come le donne bibliche: e zio Pera le sbirciava con occhi da satiro mentre seminava le fave e i fagiuoli, mettendo tre semi per buco, e gridando per spaventare i passeri.

Dal finestrino del molino Anania e Bustianeddu guardavano anch'essi con intenso desiderio l'orto soleggiato, aspettando che l'ortolano si assentasse: ma zio Pera, ch'era un ometto secco, dal viso rosso-terreo, sbarbato e sarcastico, amava troppo le sue fave e i suoi cavoli per abbandonarli durante la giornata: solo verso sera saliva al molino per riscaldarsi e chiacchierare.

Era un'annata abbondante di olive; anche i proprietari dei paesi vicini s'affannavano per ottenere l'opera del frantoio che funzionava giorno e notte; per ogni *macinata* di circa due ettolitri d'olive si lasciavano due litri d'olio.

Accanto alla porta c'era una latta per l'olio da alimentar la lampada di questa e quella Madonna, e le persone devote non mancavano mai di versarvi un po' del prodotto delle olive macinate durante la giornata. Sacchi d'olive nere lucenti, sansa fumante, barili ed altri recipienti sporchi ingombravano sempre l'ambiente nero, caldo e sucido del molino; e in questo ambiente, intorno alla ruota trainata dal lungo cavallo baio, davanti alla caldaia bollente, accanto al torchio sempre in moto, sempre stillante olio, fra l'odore non sgradevole ma troppo forte della sansa e dei rifiuti dell'olio, muovevasi di continuo una folla di tipi caratteristici. La sera, poi, si riunivano intorno al fuoco della caldaia le persone più freddolose del vicinato: per lo più la compagnia veniva composta, oltre che dal mugnaio e dai clienti, che aiutavano a spingere la sbarra del torchio, da cinque o sei individui sempre alticci. Uno di questi, Efes Cau, già ricco possidente, ridotto in estrema miseria dal vizio del vino, dormiva quasi ogni notte nel molino, infestando di insetti l'angolo dove si coricava.

Una sera, appunto, sorse questione fra il mugnaio ed un ricco contadino che aveva trovato un brutto insetto in un sacco di olive.

– Dovresti vergognarti, per Dio! – gridava il contadino. – Perché lasci entrare qui tutti i vagabondi di Nuoro?

– Dopo tutto egli era ricco, più ricco di te! – gridò il mugnaio, difendendo il Cau.

– Questo non impedisce che ora egli viva di elemosine e sia pieno di insetti, – rispose l'altro con disprezzo.

Allora zio Pera l'ortolano, che stava seduto accanto al fuoco col suo randello fra le ginocchia, recitò una canzonetta:

> *Onzi pessone bia*
> *Nde juchet de munnia.*
> *– E tue chi tu ses nende*
> *Nde juches unu andende*
> *Issu collette!* [14]

Il contadino si toccò istintivamente il colletto e tutti risero. Anche il contadino rise, si calmò ed anzi fece portare da casa sua un bottiglione di vino.

Anania e Bustianeddu, seduti in un angolo, sulle sanse calde, si divertivano nell'udire i discorsi dei grandi: e quando

---

[14] Ogni persona viva – Porta pidocchi. – E tu che lo stai dicendo – Ce ne hai uno che cammina – Sul colletto.

arrivò Efes, come sempre ubriaco, barcollante, vestito d'un vecchio abito da caccia del signor Carboni, Bustianeddu gli andò incontro e gli cantò la canzonetta di zio Pera.

Onzi pessone bia...

Efes lo guardò coi suoi occhi vitrei, rotondi e sporgenti, e mentre sulle sue guancie gialle e cascanti passava come un brivido di disgusto, la sua mano palpava il lurido collo della giacca abbottonata.

La gente ricominciò a ridere, e l'infelice si guardò attorno e barcollò; poi si mise a piangere accorgendosi che lo deridevano.

– Efes! – gridò zio Pera, mostrandogli un bicchiere colmo che al riflesso del fuoco pareva di rubino.

L'ubriaco si avanzò, sorridendo fra le lagrime con un sorriso ebete.

– No, – disse Franziscu Carchide, il giovane calzolaio, nonché ricamatore di cinture, bel giovine galante, dal viso roseo, – se tu non balli non bevi.

E preso il bicchiere dalle mani del vecchio lo sollevò in alto, mentre Efes guardava e tendeva le braccia animato dal brutale desiderio del vino.

– Dammi, dammi...

– No, se non balli, no.

Egli fece un giro intorno a sé, reggendosi in equilibrio.

– Bisogna anche cantare, Efes!

Ed egli aprì la bocca puzzolente ed emise una nota rauca:

Quando Amelia sì pura e sì candida...

Egli tentava sempre questo motivo; ma arrivato all'ultima parola contorceva la bocca come spasimando per la vana ricerca dell'altro verso che non ricordava.

Anania e Bustianeddu ridevano sgangheratamente, accoccolati sulle sanse, simili a due pulcini.

– Senti, – propose Bustianeddu, – mettiamogli delle spille, nel posto dove si corica.

– Perché vuoi mettergli delle spille?

– Perché si punga, ecco: allora ballerà davvero. Io ho le spille.

– Mettiamole, – rispose l'altro, sebbene a malincuore.

L'ubriaco ballava ancora, barcollante, cascante, tendendo le mani verso il bicchiere; e la gente rideva.

Ma l'allegria giunse al colmo quando entrò nel molino Nanna, l'ubriacona. Quella sera, però, ella era *sana*, aveva le vesti pulite e la faccia meno ripugnante del solito; i suoi occhietti brillavano d'una certa intelligenza. Era stata durante il giorno a cogliere erbe mangereccie selvatiche, e veniva a domandare un po' d'olio per condirle. Vedendo Efes in quello stato, fatto ludibrio della gente, ella ebbe un lampo negli occhi; si avanzò, prese l'infelice per un braccio e nonostante le comiche proteste del ricco contadino, lo costrinse a sedersi su un sacco di olive.

– Non ti vergogni, Efes Cau? Non hai occhi? Non vedi che tutti questi mendicanti, tutte queste immondezze ridono di te? E perché hanno raddoppiato le risa vedendomi? Eppure oggi io ho lavorato, come è vero Dio, ho lavorato. Ah, Efes, Efes! Ricordati come era ricca la tua casa! Io venivo per portare l'acqua dalla fontana, e mi ricordo che tua madre aveva bottoni d'oro della camicia grossi come il mio pugno: la tua casa sembrava una chiesa, tanto era ricca e lucente. Se tu ti fossi guardato dal vizio, ora tutti avrebbero cercato di raccoglierti come si raccoglie un confetto. Invece tu ora sei schernito dai più miserabili pezzenti; e tutti ridono di te come dell'orso che balla per le strade... Ecco che ridono ancora, eppure essi sono più ubriachi di noi, come è vero Dio. Suvvia, mugnaio, dammi un po' d'olio: tua moglie è una santa, ma tu sei un diavolo: quando lo trovi il tesoro?

– Veramente egli lavora un po' più di te; perché te la prendi con lui? – chiese zio Pera, accennando al mugnaio.

– Vecchio peccatore, – rispose la donna, – voi state zitto, quando ci sono io...

– Poh! Poh! – disse il vecchio con disprezzo. – Tu fai la predica, oggi, perché non hai vino in corpo.

– Io so tenere in corpo il vino ed altre cose ancora... Dammi l'olio, Anania Atonzu; oggi nella valle ho visto una cosa; sembrava una moneta d'oro.

– Tu non l'hai raccolta? – gridò il mugnaio, rizzandosi sulla sua pala nera.

– Eccola, – rispose Nanna, frugandosi in tasca e avvicinandosi al mugnaio, che si pulì le mani passandosele sulle ginocchia, e poi esaminò la moneta di rame fatta nera-verde dal tempo.

Bustianeddu ed Anania corsero anch'essi a vedere.

Intanto Efes, seduto sul sacco, piangeva ricordando la madre e la ricca casa paterna e invano il Carchide cercava di consolarlo offrendogli il bicchiere. No, neppure il vino poteva lenire il dolore di quei ricordi. Tuttavia egli prese il bicchiere e bevette piangendo.

Il ricco contadino ed il padre di Bustianeddu, giovine olivastro con gli occhi turchini e la barba rossa, congiuravano per far ubriacare Nanna onde ella dicesse ciò che sapeva sul conto di zio Pera; e intanto l'ortolano gridava contro i due uomini che spingevano la spranga perché, secondo lui, essi non spiegavano abbastanza le loro forze.

– Che una palla vi trapassi il fegato; conservatevi bene, ragazzi, – diceva con ironia. – Come sono poltroni i giovani d'oggi!

– Provate un po' a mettervi qui, voi, al posto delle olive, per sentire la nostra forza.

– Che una palla vi trapassi la milza, che una palla vi trapassi il calcagno, – continuava ad imprecare zio Pera.

– Bene! – esclamò Maestro Pane, il vecchio falegname gobbo, che aveva un solo baffo grigio sulla gran bocca sdentata; poi egli andò e mise il chiodo sotto.

Seduto contro il muro sotto il finestruolo, egli si batteva di tanto in tanto i pugni sulle ginocchia, ma nessuno badava a lui, che usava parlare fra sé ad alta voce.

– Nanna, – disse il contadino, – ora si porta la cena da casa mia. Resta.

– Tu vuoi divertirti? – disse la donna, guardandolo maliziosamente. – Non ti basta Efes?

Tuttavia ella restò; andò presso il poveretto che piangeva sempre, e ricominciò a rimproverarlo, consigliandolo di non bere più, di non essere più il disonore dei suoi parenti; ma intanto avveniva una cosa strana. Il Carchide le mostrava il bicchiere colmo, facendo dei cenni con la bocca, invitandola silenziosamente a bere, ed ella guardava il vino affascinata.

– E dammelo! – proruppe alfine.

Bustianeddu ed Anania, ritti dietro i due disgraziati ubriaconi, ridevano a più non posso.

– Perdio, come sei brutto! – disse Maestro Pane, sempre parlando fra sé.

Nanna prese il bicchiere, bevette e cominciò a raccontare brutte storielle sul conto di zio Pera. Sì, il vecchio ortolano aspettava la mattina per tempo che qualche ragazzetta passasse nello stradale; la chiamava promettendole fave e insalata, e quando l'aveva attirata entro l'orto cercava...

– Ah, otre schifosa! – gridò zio Pera, minacciandola col randello. – Aspetta, aspetta un po'...

– Ebbene, cosa dico io? Voi cercavate d'insegnarle l'a-ve-maria...

Tutti ridevano, ed anche Anania rideva, sebbene non ca-pisse perché zio Pera volesse insegnare per forza l'ave-maria alle ragazzette che andavano alla fontana.

Intanto Bustianeddu aveva seminato le spille sul posto ove Efes soleva coricarsi, Anania se ne accorse e non si oppose, ma appena fu a casa, coricato nel gran letto di zia Tatàna, provò un impeto di rimorso. Non poteva dormire; si voltava e rivoltava, sembrandogli d'esser anche lui tormentato da migliaia di spille.

– Che hai, bambino? – chiese zia Tatàna, con l'usata dol-cezza. – Ti fa male il ventre?

– No, no...

– Ma che hai dunque?

Egli non rispose subito, ma dopo qualche momento rivelò il segreto.

– Abbiamo sparso tante spille sul posto ove dorme Efes Cau...

– Ah, cattivi ragazzi! Perché avete fatto ciò?

– Perché egli si ubriaca...

– Ah! Santa Caterina mia! – sospirò la donna. – Come sono cattivi i ragazzi d'oggi! E se qualcuno mettesse delle spille dove dormite voi? Vi piacerebbe? No, vero? Eppure voi siete più cattivi di Efes. Tutti nel mondo siamo cattivi, agnel-lino mio, ma bisogna che ci compatiamo a vicenda: altrimen-ti guai, ci divoreremmo come i pesci del mare. Re Salomone disse che spetta soltanto a Dio giudicare... Hai capito?

E Anania pensò a sua madre, a sua madre che era stata così cattiva da abbandonarlo.

CAPITOLO IV

Un giorno, verso la metà di marzo, Bustianeddu invitò Anania a pranzo.

Il negoziante di pelli era dovuto partire improvvisamente per affari, e il ragazzetto trovavasi solo a casa, solo e libero dopo due giorni di prigionia per una delle solite assenze dalla scuola: inoltre serbava sulla guancia destra il segno d'un poderoso schiaffo somministratogli dal genitore.

– Vogliono che io studi! – disse ad Anania, aprendo le mani, col solito fare da uomo serio. – E se io non ne ho voglia? Io desidero fare il pasticciere: perché non me lo lasciano fare?

– Sì, perché? – chiese Anania.

– Perché è vergooogna! – esclamò l'altro, allungando la parola con accento ironico. – È vergogna lavorare, apprendere un mestiere, quando si può studiare! Così dicono i miei parenti: ma ora voglio far loro una burletta. Aspetta, aspetta!

– Che cosa vuoi fare?

– Te lo dirò poi: ora mangiamo.

Egli aveva preparato i maccheroni: così egli chiamava certi gnocchi grossi e duri come mandorle, conditi con salsa di pomidoro secchi. I due amici mangiarono in compagnia d'un gattino grigio che con lo zampino bruciacchiato prendeva famigliarmente i gnocchi dal piatto comune e se li portava furbescamente in un angolo della cucina.

– Come è curioso! – diceva Anania, seguendolo con gli occhi. – A noi ce l'hanno rubato, il gatto.

– Anche a noi. Ce ne hanno rubati tanti! Scompaiono e non si sa dove vadano a finire.

– Scompaiono tutti i gatti del vicinato! Chi li ruba cosa ne fa?

– Ebbene, li fa arrostire. La carne è buona, sai; sembra carne di lepre. In continente la vendono per lepre: così dice mio padre.

– Tuo padre è stato in continente?

– Sì. Ed anch'io ci andrò, e presto.

– Tu?! – disse Anania, ridendo con un po' d'invidia.

Bustianeddu allora credé giunto il momento di svelare all'amico i suoi pericolosi progetti.

– Io non posso più viver qui, – cominciò a lamentarsi; – no, io voglio andar via. Cercherò mia madre e farò il pasticciere; se vuoi venire, vieni anche tu.

Anania arrossì d'emozione, e sentì il suo cuore battere forte forte.

– Non abbiamo denari, – osservò.

– Ecco, noi prendiamo le cento lire che sono nel cassetto del comò; se vuoi, le prendiamo subito; poi le nascondiamo, perché se partiamo subito mio padre si accorge che le ho prese io; aspettiamo finché passa il freddo, poi partiamo. Vieni.

Condusse Anania in una camera sucida e disordinata, ingombra di pelli d'agnello puzzolenti; cercò la chiave del cassettone in un nascondiglio e si fece aiutare ad aprire il cassetto: oltre il biglietto rosso delle cento lire c'erano altre carte-monete e denari in argento, ma i due ladruncoli domestici presero soltanto il biglietto rosso, richiusero, rimisero la chiave.

– Ora lo tieni tu, – disse Bustianeddu, ficcando il biglietto in seno ad Anania; – stanotte lo nasconderemo nell'orto del molino, nel buco della quercia, sai; poi aspetteremo.

Ancor prima che avesse potuto opporsi, Anania si trovò col biglietto nel seno, sotto l'amuleto di broccato; e passò una giornata febbrile, piena di rimorsi, di paura, di speranze e di progetti meravigliosi.

Fuggire! Fuggire! Come e quando non sapeva, ma oramai sentiva che il sogno stava per avverarsi, e ne provava gioia e terrore. Fuggire, passare il mare, penetrare nel regno fantastico di quel continente misterioso dove si nascondeva sua madre! Che ansie, che sogni, che gioia! Le cento lire gli sembravano un tesoro inesauribile; ma intanto sentiva d'aver commesso un grave delitto, rubandole, e non vedeva l'ora che arrivasse la notte per liberarsene.

Non era la prima volta che i due amici penetravano nell'orto coltivato da zio Pera, scavalcando la finestruola che dalla stalla attigua al molino dava nell'orto; di notte, però, non c'erano stati mai, quindi spiarono a lungo prima d'azzardarsi. Cadeva una sera chiara e fredda; la luna piena sorgeva fra le roccie nere dell'Orthobene, illuminando l'orto con un chiarore d'oro. Giungeva ai due bimbi affacciati alla finestruola un disperato miagolio di gatto che pareva un lamento umano.

– Che cosa è? Pare il diavolo! – disse Anania. – Io non scendo, no, io ho paura.

– E rimani qui, allora! È un gatto, non senti? – rispose l'altro con disprezzo. – Scendo io; nascondo il denaro entro la quercia, dove zio Pera non guarda mai; poi torno. Tu resta qui a guardare; se c'è pericolo, fischia.

In che consistesse poi questo pericolo i due amici non sapevano; ma entrambi provavano un acuto piacere a render fantastica l'avventura, alla quale il chiarore della luna e quel lamento straziante di gatto davano un sapore ancor più piccante.

Bustianeddu saltò nell'orto, ed Anania rimase alla finestra, un po' avvilito dalla paura che lo rendeva tremante, ma tutto occhi e tutto orecchi. Ed ecco, appena il compagno fu scomparso in direzione della quercia, due ombre passarono sotto la finestruola; Anania sussultò, emise un fischio sottile sottile, e si nascose sotto il davanzale. Che impeto di terrore e di piacere strano provò in quel momento! Come si sarebbe salvato Bustianeddu? Che avveniva laggiù? Ecco, i lamenti del gatto raddoppiarono, si fusero tutti in un gemito rabbioso e straziante; poi cessarono. Silenzio. Che mistero, che orrore! Anania sentiva il cuore spezzarglisi in seno. Che accadeva all'amico? L'avevano preso, l'avevano arrestato? Ora lo porterebbero in prigione; ed anche lui, anche lui subirebbe la sua parte di guai.

Tuttavia non pensò un solo istante a mettersi in salvo, ed attese coraggiosamente sotto la finestra.

Ed ecco un passo, un respiro ansante, una voce sommessa e tremula.

– Anania? Dove diavolo sei?

Anania balzò su, porse la mano al compagno salvo.

– Diavolo, – disse Bustianeddu, ansante, – l'ho scampata bella.

– Hai sentito il fischio? Eppure ho fischiato forte.

– Niente. Ho sentito invece il passo di due uomini, e mi sono nascosto sotto i cavoli. Ecco, sai chi erano i due uomini? Zio Pera e Mastru Pane. Sai che hanno fatto? Ebbene, c'è un laccio pei gatti; il gatto che miagolava era preso al laccio, e zio Pera lo ha ammazzato col randello. Maestro Pane prese la povera bestia sotto il mantello e disse, tutto contento: «per Dio, come è grasso!» «Meno male», disse zio Pera, «quello di avantieri sembrava uno stecco». Poi andarono via.

– Oh! – esclamò Anania a bocca aperta.

– Ora lo fanno arrostire, capisci, e cenano. Sono loro che rubano i gatti, così, prendendoli al laccio! Meno male che non mi hanno veduto!

– E i denari?

– Nascosti. Andiamo, mammalucco; non sei buono a niente.

Anania non si offese: chiuse la finestra e rientrò nel molino, dove si svolgeva la solita scena. C'era Efes che si grattava le spalle contro il muro, cantando

Quando Amelia si pura e si candida...

e il Carchide che raccontava d'essere stato in un paese vicino, per certi suoi affari.

– Il sindaco era amico di mio padre, quando noi eravamo ricchi, – diceva il bel giovine, la cui famiglia era stata sempre miserabile. – Appena sa che io arrivo nel paese, mi manda a chiamare e mi ospita in casa sua. Accidenti, che gente ricca! Trenta servi e sette serve: per arrivare alla casa bisogna attraversare tre cortili, uno dentro l'altro, con muri altissimi: i portoni di ferro, le finestre della casa tutte munite d'inferriate.

– E perché? – chiese il mugnaio.

– Per i ladri, caro mio. Perché il sindaco è ricco come il Re.

– Boumh! Boumh! – gridò un uomo che spingeva la spranga.

– Cosa ne sai tu? – riprese il Carchide, guardando l'uomo con disprezzo. – Il sindaco ed i suoi fratelli, quando morì il loro padre, si divisero le monete d'oro con una misura capace d'un ettolitro! La moglie del sindaco, poi, ha otto *tancas* in fila, irrigate da fiumi, con più di cento fontane! Ebbene, dicono che il padre del sindaco trovò un *ascusorju*,[15] dove il re di Spagna, quando fece la guerra con Eleonora d'Arborea, nascose più di cento mila scudi in oro.

---

15 *Ascusorju:* Nascondiglio contenente un tesoro.

– Ah! – esclamò il mugnaio, con un fremito d'emozione, appoggiandosi sulla pala nera.

– Quelli sì, quelli son signori ricchi, – riprese il Carchide.
– E dunque i rognosi Nuoresi?

– Il mio padrone è ricco! – protestò il mugnaio. – Possiede più lui nell'angolo della scopa che tutti i tuoi sindaci pulciosi.

– E va! – gridò il giovine, facendo le fiche. – Tu non sai quel che dici.

– Tu, non sai quel che dici, tu!

– Il tuo padrone è pieno di debiti: ne vedremo la fine, ne vedremo.

– Che tu possa diventar cieco, prima!

– Che tu possa schiantare prima!

Per poco il mugnaio ed il giovane calzolaio non vennero alle mani: ma la loro lite fu interrotta da un assalto di *delirium tremens* che colpì il povero Efes Cau. Egli cadde sulle sanse, avvoltolandosi, contorcendosi, saltando come un verme, con gli occhi spaventosamente aperti e i lineamenti contratti.

Anania si gettò in un angolo, gridando e piangendo per lo spavento, mentre Bustianeddu corse, assieme col mugnaio ed altri, per aiutare il disgraziato. A poco a poco Efes tornò in sé, si sedette sulle sanse sparse, guardò attorno con quei suoi grandi occhi sporgenti pieni di terrore, ancora tutto contorto e tremante. Gli diedero da bere, lo confortarono.

– Chi... chi mi ha assalito? Perché mi avete bastonato? Ah, non mi ha abbastanza castigato Dio perché abbiate a bastonarmi anche voi?

Poi si mise a piangere.

Lo fecero coricare, ed egli si assopì, delirando, chiamando sua madre ed una sorellina morta.

Anania lo guardava con terrore e pietà: avrebbe voluto fare qualche cosa per aiutarlo, ed intanto provava un istintivo disgusto per quell'uomo una volta ricco, ora ridotto ad un involto di cenci puzzolenti, buttato sulla sansa come un mucchio di immondezze.

Chiamata da Bustianeddu venne zia Tatàna: si chinò pietosamente sul malato, lo toccò, lo interrogò, gli mise un sacco sotto il capo.

– Bisogna dargli un po' di brodo, – disse sollevandosi. – Ah, il peccato mortale, il peccato mortale!

– Figliolino mio, – disse ad Anania, – va dal signor padrone a chiedere un po' di brodo per Efes Cau. Va: vedi come riduce il peccato mortale? Va, prendi questa scodella, va.

Egli andò con piacere, e Bustianeddu lo accompagnò. La casa del padrone non era lontana, ed Anania vi si recava spesso per farsi dare la prebenda del cavallo, i lucignoli per la candela del molino, e per altre commissioni.

Le strade erano qua e là illuminate dalla luna; gruppi di paesani passavano cantando un coro melanconico ed appassionato. Davanti alla casa bianca del signor Carboni si stendeva un cortile quadrato recinto d'alti muri e con un grande portone rosso. I due ragazzetti dovettero picchiar forte per farsi aprire; ed Anania porse la scodella, esponendo il caso di Efes Cau alla domestica che dischiuse il portone.

– Non sarà per voi, il brodo, eh? – sogghignò la serva, squadrando sospettosa i due amici.

– Va al diavolo, Maria Iscorronca,[16] noi non abbiamo bisogno di brodo, – gridò Bustianeddu.

– Animaletto, ora ti pago gli insulti, – disse la serva, rincorrendolo per la strada. Ma egli fuggì, mentre Anania penetrava nel cortile illuminato dalla luna.

– Chi è: cosa vogliono? – chiedeva una vocina sottile,

---

16 Nomignolo spregiativo che equivale a *strega* o a qualcosa di simile.

dall'ombra di una tettoia sotto cui aprivasi la porta della cucina.

– Sono io! – gridò Anania, avanzandosi, con la scodella fra le mani. – Efes Cau è malato, nel molino, e *mia madre* prega la signora padrona che dia un po' di brodo al disgraziato.

– Oh, vieni! – rispose la vocina.

In quel momento rientrò la serva, che non avendo potuto raggiungere Bustianeddu prese a spintoni il piccolo Anania. Allora la bimba che aveva detto «vieni» balzò fuori e difese il figlio del mugnaio.

– Lascialo: che ti ha fatto? – disse, tirando la sottana alla serva. – Dagli subito il brodo. Subito!

Questa protezione, quel tono da padrona, quella figurina grassa e rossa, vestita di flanellina turchina, quel nasetto prepotente rivolto all'insù fra due guancie molto paffute, quei due occhi scintillanti alla luna, fra due bende ricciolute di capelli rossicci, piacquero immensamente ad Anania. Egli conosceva già la figlia del padrone, Margherita Carboni, come la chiamavano tutti i bimbi che frequentavano il molino; qualche volta ella gli aveva dato i lucignoli ed anche l'orzo per il cavallo, e quasi tutti i giorni egli la vedeva nell'orto e ad intervalli anche nel molino, dove essa si recava con suo padre; ma mai s'era immaginato che quella signorina grassa e rossa e dall'aria superba fosse così affabile e buona.

Mentre la serva entrava in cucina per prendere il brodo, Margherita domandò ad Anania qualche particolare sulla malattia di Efes Cau.

– Egli oggi ha mangiato qui, in questo cortile, – ella disse con serietà. – Pareva sano.

– È un male che viene agli ubriaconi, – spiegò Anania. – Si contorceva come un gatto....

Appena dette queste parole egli arrossì ricordando il gatto preso al laccio da zio Pera, e le cento lire rubate e nascoste

nell'orto. Cento lire rubate! Che avrebbe detto Margherita
Carboni se avesse saputo che lui, Anania, lui, il figlio del
mugnaio, lui, l'abbandonato, lui, il servo, verso cui la piccola
padrona si degnava mostrarsi affabile e buona, aveva rubato
cento lire e che queste cento lire erano nascoste nell'orto?
Ladro! Egli era un ladro, e di una somma enorme! Solo in
quel momento percepì tutta la vergogna della sua azione, e
sentì dolore, umiliazione, rimorso.

– Come un gatto, ah! – disse Margherita stringendo i
denti e torcendo il nasino; – Dio mio, Dio mio; è meglio che
egli muoia.

La serva tornò, con la scodella colma di brodo. Anania
non poté più aprir bocca: prese la scodella e andò via piano
piano, badando di non versare il brodo. Sentiva una strana
voglia di piangere, e quando raggiunse Bustianeddu, nello
svolto della strada, ripeté le parole di Margherita:

– È meglio che egli muoia.

– Chi? È caldo quel brodo? Ora lo assaggio... – disse l'altro, allungando il collo verso la scodella. Ma Anania si irritò.

– Non toccare! – gridò. – Tu sei cattivo; tu diventerai
come Efes. Perché hai preso i denari? – aggiunse, abbassando
la voce. – È peccato mortale, rubare. Va a riprenderli e rimet-
tili nel cassetto.

– Poh! Poh! Sei matto?

– Ed io lo dico a *mia madre!*

– Tua madre! – disse l'altro con ironia. – Va a cercarla!

Intanto camminavano lentamente, ed Anania guardava
sempre la scodella.

– Siamo ladri! – disse a bassa voce.

– Il denaro è di mio padre, e tu sei un *mammalucco.* Andrò
via io solo, io solo ed io solo!

– Va, che tu non possa più ritornare! Ma io... io lo dirò a...

a zia Tatàna (sì, ora si vergognò di dire *mia madre!*).

–Spia! – proruppe Bustianeddu, minacciandolo coi pugni stretti. – Se tu parli ti ammazzo come una lucertola, ti rompo i denti con una pietra, ti faccio cacciar le viscere per gli occhi.

Anania abbassò le spalle, pauroso di rovesciar il brodo e di ricevere i pugni dell'amico, ma non ritirò la minaccia di rivelare ogni cosa a zia Tatàna.

– Che diavolo ti han detto dentro quel cortile? – proseguì l'altro, fremente. – Che ti ha detto quella servaccia? Parla.

– Niente. Ma io non voglio essere un ladro.

– Tu sei un bastardo, – gridò allora Bustianeddu, – ecco cosa sei. Ed io ora vado, riprendo i denari e non ti guardo più in faccia.

S'allontanò di corsa, lasciando Anania colpito da un dolore profondo. Ladro, bastardo, abbandonato! Era troppo, era troppo! Egli pianse e le sue lagrime caddero entro la scodella.

– Ed ora anche Bustianeddu mi abbandona e va via solo! Ed io, quando potrò partire io?

Quando potrò *ricercarla?* Quando sarò grande! – rispose a se stesso, rianimandosi. – Ora non m'importa.

Tuttavia, appena consegnò la scodella a zia Tatàna, corse al finestruolo della stalla. Silenzio. Non si vedeva nessuno, non s'udiva nulla nel grande orto umido e chiaro sotto la luna. Le montagne si delineavano azzurre sullo sfondo vaporoso del cielo; tutto era silenzio e pace.

Ad un tratto giunse dal molino la voce di Bustianeddu.

– Egli non ha ripreso i denari? – pensò Anania. – Non è entrato nell'orto. Se andassi io?

Ma ebbe paura; rientrò nel molino e cominciò ad aggirarsi come un gattino affamato intorno a zia Tatàna che curava il malato. Ella gli fece la solita domanda:

– Che hai? Ti fa male il ventre?

– Sì, andiamo a casa.

Zia Tatàna capì che egli voleva dirle qualche cosa e lo accompagnò fuori.

– Gesù, Gesù, Santa Caterina bella! – proruppe, appena seppe tutto. – In che mondo siamo noi! Anche gli uccelli, anche i pulcini dentro l'uovo commettono il male!

Anania non seppe mai come zia Tatàna avesse persuaso Bustianeddu a rimettere il denaro nel cassetto: però d'allora in poi i due amici si guardarono un po' in cagnesco, e per ogni piccola cosa si insultavano e venivano alle mani.

L'inverno passò, ma anche in aprile il frantoio continuò a funzionare perché l'abbondanza delle olive era quell'anno straordinaria. Qualche volta però, Anania il mugnaio chiudeva il frantoio, andava nei campi a zappare il frumento del padrone e conduceva con sé il piccolo Anania, del quale voleva fare un contadino; ed il bimbo lo seguiva tutto lieto di rendersi utile, recando con alterezza sulle spalle la zappa e la bisaccia delle provviste. In mezzo ai campi quell'anno coltivati dal mugnaio, sorgevano due pini alti, sonori come due torrenti. Era un paesaggio dolce e melanconico, qua e là sparso di vigne solitarie, senza alberi, né macchie. La voce umana vi si perdeva senza eco, quasi attratta e ingoiata dall'unico mormorio dei pini, le cui immense chiome pareva sovrastassero le montagne grigie e paonazze dell'orizzonte.

Mentre il padre zappava, curvo sulla distesa verde-chiara del frumento tenero, Anania si perdeva attraverso i campi nudi e melanconici, cantando con gli uccelli, cercando funghi ed erbe. Qualche volta il padre, sollevandosi, lo vedeva in lontananza e provava una stretta al cuore, poiché il luogo, il lavoro, la figurina del bimbo, tutto gli ricordava Olì, i suoi fratellini, l'errore commesso, l'amore, le gioie perdute.

Dov'era Olì? E chi lo sapeva? Ella s'era perduta, s'era

smarrita come l'uccellino nei campi: ebbene, peggio per lei; Anania il mugnaio credeva di compiere abbastanza il proprio dovere allevando il figliuolo; se trovava il tesoro che sempre sognava, manderebbe il bimbo agli studi, se no ne farebbe un buon contadino: che pretendere di più? E quelli che non riconoscono i propri figli, e che invece di raccoglierli ed allevarli cristianamente, come egli faceva, li abbandonavano alla miseria ed alla mala sorte? Sì, anche certe persone ricche, anche certi signori facevano così. Sì, anche il padrone... sì, anche il signor Carboni... Basta, Anania *grande* si consolava pensando a ciò; tuttavia gli rimaneva in cuore un senso di tristezza, e guardando in lontananza gli pareva di scorgere i nuraghi che circondavano la cantoniera di Olì; e durante l'ora dei pasti, o mentre si riposava all'ombra dei pini sonori, interrogava il figliuolo sulle sue vicende passate. Anania aveva soggezione del padre, e non osava mai guardarlo negli occhi; ma una volta spinto nella via dei ricordi chiacchierava volentieri, abbandonandosi al piacere nostalgico di raccontare tante cose passate. Ricordava tutto; Fonni, la casa e i racconti della vedova, il buon Zuanne dalle grandi orecchie, i carabinieri, i frati, il cortile del convento, le castagne, le capre, le montagne, la fabbrica dei ceri. Ma parlava pochissimo di sua madre, mentre il mugnaio lo tirava sempre su quell'argomento.

– Ebbene, ti bastonava *tua madre?*

– Mai, mai! – protestava Anania.

– Io so invece che ti bastonava.

– Possiate vedermi senza occhi, se è vero! – spergiurava il ragazzetto.

– E dimmi... che cosa faceva essa?

– Lavorava sempre...

– È vero che un carabiniere la voleva in isposa?

– Non è vero! Essi, i carabinieri, mi dicevano: di' a tua

madre che venga; abbiamo da parlarle....

– Ed essa? – chiedeva un po' ansioso il mugnaio.

– Ah, essa si arrabbiava come un cane!

– Ah!

Il mugnaio sospirava: provava un senso di sollievo nel sentire che ella non andava dai carabinieri. Ebbene, sì; egli le voleva ancora bene, egli ricordava con tenerezza gli occhi chiari e ardenti di lei, ricordava i fratellini, il povero e sofferente cantoniere; ma che poteva farci? Se fosse stato libero l'avrebbe certamente sposata; invece aveva dovuto abbandonarla: adesso tornava inutile pensarci.

–Va, – diceva ad Anania, finito il pasto frugale; – là dove c'è quel fico, vedi, c'era una casa antichissima. Va e fruga per terra, chissà che tu trovi qualche cosa.

Il fanciullo partiva di corsa, mentre il padre pensava:

– Le anime innocenti trovano più facilmente i tesori. Se trovassimo qualche cosa! Passerei un tanto ad Olì, e, morta mia moglie, la sposerei. Dopo tutto sono stato io il primo ad «ingannarla».

Ma Anania non trovava niente. Verso sera padre e figlio tornavano lentamente in paese, attraversando lo stradale chiaro nei cui sfondi ardeva il crepuscolo d'oro. Zia Tatàna li aspettava con la cena pronta ed il fuoco cigolante nel focolare pulito. Ella soffiava il naso al piccolo Anania, gli puliva gli occhi, narrava al marito gli avvenimenti della giornata.

Nanna l'ubriacona era caduta sul fuoco, Efes Cau aveva un paio di scarpe nuove, zio Pera aveva bastonato un bambino; il signor Carboni era stato al molino per vedere il cavallo.

– Dice che è orribilmente dimagrato.

– Diavolo, ha lavorato tanto: cosa vuole il padrone? Anche le bestie son di carne e d'ossa.

Dopo cena il mugnaio andava alla bettola, perfettamente

dimentico di Olì e delle sue avventure; e zia Tatàna filava e raccontava una fiaba al suo figlio d'adozione, qualche volta assisteva anche Bustianeddu.

– «Dicono che una volta c'era un re con sette occhi d'oro in fronte che sembravano sette stelle».

Oppure la fiaba dell'*Orco e di Mariedda*. Mariedda era fuggita dalla casa dell'Orco:

– «...Ella fuggiva, fuggiva, gittando dei chiodi che si moltiplicavano, si moltiplicavano, coprivano tutta la pianura. Zio Orco la inseguiva, la inseguiva, ma non riusciva a prenderla perché i chiodi gli foravano i piedi...» – Dio, Dio, che brivido di piacere destava nei bimbi la fuga di Mariedda!

Che differenza fra la cucina, la figura e i racconti della vedova di Fonni, e la cucina pulita e calda e la figura soave e le storielle meravigliose di zia Tatàna! Eppure qualche volta Anania si annoiava, o almeno non provava l'emozione fremente che i racconti della vedova gli avevano un tempo destato; forse perché al posto del buon Zuanne, del fratellino amato, c'era Bustianeddu cattivo e maligno, che gli dava dei pizzicotti e lo chiamava *spia e bastardo* anche davanti alla gente e nonostante gli ammonimenti di zia Tatàna. Una sera lo chiamò bastardo davanti a Margherita Carboni, che assieme con la serva era venuta per una commissione in casa del mugnaio. Zia Tatàna gli si gettò sopra e gli turò la bocca, ma troppo tardi. *Ella* aveva udito, ed Anania provò un dolore indicibile, non raddolcito neppure dal pezzo di pane intinto nel miele che zia Tatàna diede a lui ed a Margherita. A Bustianeddu niente. Ma che cosa era un pezzo di pane intinto nel miele dopo la profonda amarezza di sentirsi chiamato bastardo davanti a Margherita Carboni? Ella era vestita di verde, con calze violette ed aveva intorno al capo una sciarpa di lana rossa che coloriva ancor più le sue guancie paffute e faceva

risaltare l'azzurro degli occhi lucenti. Quella notte Anania
la sognò così, bella e colorita come l'arcobaleno, ed anche
nel sogno provava il dolore d'essere stato chiamato *bastardo*
davanti a lei.

*
**

Nella Settimana Santa, però, - quell'anno la Pasqua ri-
correva agli ultimi d'aprile, - il mugnaio compié il precetto
pasquale ed il confessore gli impose di riconoscere legalmen-
te il figliuolo. Nello stesso tempo Anania, che compiva gli
otto anni, venne cresimato: padrino il signor Carboni. Fu un
grande avvenimento per il ragazzo e per la città tutta che s'era
data convegno nella cattedrale, ove Monsignor Demartis, il
bel vescovo imponente, impartiva la cresima a centinaia di
fanciulletti. Per le porte spalancate, che ad Anania parevano
grandissime, la primavera con la sua viva luce e il suo tepore
fragrante penetrava nella chiesa gremita di donne dai costu-
mi di porpora, di signore, di bimbi lieti. Il signor Carboni,
grosso, rosso in viso, con gli occhi azzurri e i capelli rossicci,
col gilè di terziopelo attraversato da una enorme catena d'oro,
veniva salutato, riverito, ricercato dai personaggi più cospicui,
dai paesani e dalle paesane, dalle signore e dai bimbi che
gremivano la chiesa, Anania si sentiva altero e felice di tanto
padrino; è vero che il signor Carboni doveva cresimare altri
diciassette bambini; ma ciò non toglieva importanza al sin-
golo onore di tutti i diciotto figliocci.

Dopo la cerimonia questi diciotto figliocci, coi rispettivi
parenti, accompagnarono a casa il padrino, ed Anania poté
ammirare la *sala* di Margherita, di cui aveva sentito dir mirabi-
lia, – una vasta stanza tappezzata di carta rossa, con seggioloni
del secolo scorso e cassettoni ornati di fiori artificiali sotto
lampade di cristallo, nonché di alzatine con frutta di marmo e

piattini con fette di salame e di cacio pure di marmo.

Furon serviti liquori, caffè, biscotti e amaretti; e la bella signora Carboni, che aveva due profonde fossette sulle guancie e i capelli neri tirati tirati sulle tempie, graziosamente adorna d'un vestito da camera, d'indiana a quadretti azzurri e rossi, con volante e merletto in fondo, fu amabile con tutti e baciò i bimbi consegnando a ciascuno di loro un involtino.

Lungamente Anania ricordò questi particolari. Ricordò che invano aveva ardentemente desiderato che Margherita entrasse nella *sala* e notasse il suo costumino nuovo, di fustagno gialliccio, duro come la pelle del diavolo, e ricordò che la signora Cicita Carboni, baciandolo e battendogli lievemente la mano inanellata sulla testina orribilmente rasa, aveva detto al mugnaio:

– Ah, compare, perché l'avete conciato così? Sembra calvo...

– Lasciate, comare, – aveva risposto Anania *grande*, secondando il benevolo scherzo della signora, – la testa di questo buon pulcino sembrava un bosco...

– Ebbene, – riprese la signora, – avete dunque fatto il vostro dovere?

– Fatto! Fatto!

– Me ne rallegro. Credete pure, solo i figli legittimi sono il sostegno dei padri nella vecchiaia.

Poi s'avvicinò il signor Carboni.

– Che occhi indiavolati ha questo montanaro! – disse, guardando il bimbo negli occhi. – Ebbene, perché li abbassi? Ridi? Ah, diavoletto...

Anania rideva di gioia nel vedersi osservato dal padrino, e guardato con affetto dalla signora Carboni.

– Che cosa diventerai, diavoletto?

Egli abbassava e sollevava gli occhi lucenti (che le cure di zia Tàtàna avevano guarito perfettamente), e cercava di nascondersi dietro del padre.

– Dunque, rispondi al padrino! – esclamò il mugnaio scuotendolo. – Che cosa ti farai, diavoletto?

– Mugnaio? – chiese la signora.

Egli accennò di no, di no.

– Ah, non ti piace? Contadino?

No, e sempre no.

– Ebbene, vuoi studiare? – chiese astutamente il mugnaio.

– Sì.

– Ah, bravo! – disse il signor Carboni, – tu vuoi studiare? ti farai prete?

Ancora no.

– Avvocato? – chiese il mugnaio.

– Sì.

– Diavolo! Diavolo! Lo dicevo io che ha gli occhi vivi! Vuol farsi avvocato il piccolo topo!

– Ah, caro mio, siamo poveri, – osservò sospirando il mugnaio.

– Se il bimbo ha voglia di studiare la provvidenza non mancherà, – disse il padrone.

– Non mancherà! – ripeté come eco la padrona, queste parole decisero il destino di Anania: ed egli non le dimenticò mai più.

*
**

Il frantoio venne definitivamente chiuso, – per quell'anno, – ed il mugnaio si trasformò del tutto in contadino.

Una primavera ardente ingialliva già le campagne; le vespe e le api ronzavano intorno alla casetta di zia Tatàna; il grande sambuco del cortiletto coprivasi di un meraviglioso merletto di fiori giallognoli.

Nel cortile d'Anania conveniva quasi sempre tutti i giorni

la compagnia che già usava riunirsi nel molino: zio Pera col randello, Efes e Nanna costantemente ubriachi, il bel calzolaio Carchide, Bustianeddu ed il padre, nonché altre persone del vicinato. Inoltre Maestro Pane aveva messo su bottega in un bugigattolo in faccia al cortiletto; tutto il santo giorno era un viavai di gente che rideva, gridava, s'insultava, diceva male parole.

Il piccolo Anania passava le sue giornate fra questa gente meschina e violenta, dalla quale apprendeva atti e parole sconcie, abituandosi allo spettacolo dell'ubriachezza e della miseria incosciente.

A fianco della bottega di Maestro Pane, in un altro bugigattolo nero di fuliggine e di ragnatele, marciva una misera ragazzetta inferma, del cui padre, partito per lavorare in una miniera africana, non s'era saputo più nulla: l'infelice creatura, soprannominata Rebecca, viveva sola, abbandonata, piagata, su una stuoia lurida, fra nugoli d'insetti e di mosche.

Più in là abitava una vedova con cinque bambini che mendicavano; lo stesso Maestro Pane chiedeva spesso l'elemosina. Con tutto ciò la gente era allegra: i cinque bimbi mendicanti ridevano sempre, Maestro Pane parlava con se stesso ad alta voce, raccontandosi storielle amene e ricordandosi fatti allegri della sua gioventù. Solo nei meriggi luminosissimi, quando il vicinato taceva e le vespe ronzavano tra i fiori del sambuco, conciliando il sonno al piccolo Anania coricato supino sul limitare della porta, vibrava nel silenzio caldo il lamento acuto di Rebecca, che saliva, si spandeva, si spezzava, ricominciava, slanciavasi in alto, sprofondavasi sotterra, e per così dire pareva trafiggesse il silenzio con un getto di freccie sibilanti. In quel lamento era tutto il dolore, il male, la miseria, l'abbandono, lo spasimo non ascoltato del luogo e delle persone; era la voce stessa delle cose, il lamento delle pietre che cadevano ad una ad una dai muri neri delle casette preistoriche, dei tetti che si sfasciavano, delle scalette esterne e dei poggiuoli di legno tarlato che minacciavano rovina, delle euforbie che crescevano nelle straducole rocciose, delle gramigne che coprivano i muri, della gente che non mangiava, delle donne che non avevano vesti, degli uomini che si ubriacavano per stordirsi e che bastonavano le donne ed i fanciulli e le bestie perché non potevano percuotere il destino, delle malattie non curate, della miseria accettata incoscientemente come la vita stessa. Ma chi ci badava?

Lo stesso piccolo Anania, coricato supino sul limitare della porta, scacciava le mosche e le vespe agitando un fiore di sambuco, e pensava istintivamente:

– Uh! Perché grida sempre *quella lì?* Cosa la fa gridare? Non ci devono essere gli ammalati nel mondo?

Egli s'era fatto tondo tondo, ingrassato dai cibi abbondanti, dal dolce far niente, e sopratutto dal sonno.

Dormiva sempre. Ed anche nei meriggi silenziosi, nonostante il grido continuo di Rebecca, egli finiva con l'addormentarsi, col fior di sambuco nella manina rossa, e il naso coperto di mosche. E sognava di trovarsi ancora lassù, nella casa della vedova, nella cucina vigilata dal gabbano nero che pareva un fantasma appiccato: ma sua madre non c'era più, era fuggita, lontano, in una terra ignota. Ed un frate veniva dal convento, ed insegnava a leggere e scrivere al piccolo abbandonato, che voleva studiare per mettersi in viaggio alla ricerca di sua madre. Il frate parlava, ma Anania non riusciva a sentirlo, perché dal gabbano usciva un lamento acuto e straziante che assordava. Dio mio, che paura! Era la voce dello spirito del bandito morto. Ed oltre alla paura, Anania provava un gran fastidio al naso ed agli occhi. Erano le mosche.

CAPITOLO V

Finalmente il suo sogno s'avverò.

Una mattina di ottobre egli s'alzò più presto del solito, e zia Tatàna lo lavò, lo pettinò, gli fece indossare il vestitino nuovo, quello di fustagno duro come la pelle del diavolo.

Anania *grande*, che divorava già la sua colazione, – un arrosto di viscere di pecora, – quando vide il fanciullo pronto per recarsi alla scuola rise di gioia, e gli disse, minacciandolo con un dito:

– Ohi, ohi, se non fai da bravo! Ti mando da Maestro Pane a far le casse da morto...

Bustianeddu venne a prendere Anania e lo accompagnò con una certa aria di sprezzante protezione. La mattina era splendida; nell'aria limpida passava un dolce odore di mosto, di caffè, di vinaccia in fermentazione; le galline ed i galli cantavano per le strade; i contadini si recavano in campagna coi lunghi carri coperti di pampini, preceduti dai cani allegri e frementi.

Anania si sentiva felice, benché il compagno parlasse male della scuola e dei maestri.

– Il tuo maestro, Ananì, pare un gallo, col berretto rosso e la voce rauca. Io l'ho dovuto sopportare per un anno, che il diavolo gli roda il calcagno.

Le scuole erano all'altra estremità di Nuoro, in un convento circondato da orti melanconici; la classe di Anania, al pianterreno, guardava sulla strada solitaria; molta polvere copriva le pareti, la cattedra del maestro sembrava rosicchiata dai topi; macchie d'inchiostro, incisioni e graffiti, nomi che parevano geroglifici, decoravano i banchi.

Anania provò una vera delusione nel veder comparire, invece del maestro descrittogli da Bustianeddu, una maestra vestita in costume, piccola e pallida, con due baffetti neri sul labbro superiore come li aveva anche zia Tatàna.

Quaranta bambini animavano la classe. Anania era il più grande di tutti, e forse per ciò la piccola maestra, che aveva anche due terribili occhi neri, si rivolgeva a lui di preferenza, chiamandolo col solo cognome e parlandogli un po' in dialetto sardo, un po' in lingua italiana.

Quest'attenzione ostinata non gli piaceva, ma gli giovò: dopo tre sole ore di scuola egli sapeva già leggere e scrivere due vocali; è vero che una era la vocale o, ma ciò non toglieva importanza al suo merito.

Verso le undici, però, egli era già stufo della scuola e della maestra, nonché del vestito nuovo che lo impacciava assai: sbadigliava e pensava al cortiletto, al sambuco, al cestino dei fichi d'India ove ogni tanto egli usava cacciar le manine agguerrite contro le spine.

Non veniva mai l'ora d'andar via, dunque? Molti compagni piangevano, e la maestra si sfiatava invano, predicando l'amor della scuola e la tranquillità.

Finalmente l'uscio s'aprì: comparve e disparve come un lampo la figura sbarbata del bidello, – anche lui vestito in costume, – risuonò la sua voce:

– È ora! – I bambini si precipitarono verso la porta spingendosi, gridando, ed Anania rimase ultimo accanto alla maestra che lo accarezzò sulla testa con la piccola mano scarna.

– Bravo, – gli disse: – sei il figlio di Anania Atonzu?

– Sissignora.

– Bravo. Tanti saluti *a tua madre*.

Egli naturalmente capì che questi saluti erano per zia Tatàna: e subito la maestra, che lo lasciò per mischiarsi alla folla
dei bambini schiamazzanti, gli diventò cara.

– Ma che modo è questo? – ella gridava agli scolaretti
afferrandoli e fermandoli.

– A due a due! In riga!

A due a due, in riga, essi percorsero un buon tratto di
strada: dopo furono lasciati liberi, e si dispersero per lo spiaz-
zo come uccellini scappati dalla rete, correndo e girando. Anche dalle altre classi uscivano in ordine gli alunni via via più
adulti e più seri. Bustianeddu piombò sopra Anania, battendogli i quaderni sul capo, e lo trasse con sé.

– Ti piace, dunque?

– Sì, – rispose Anania, – ma ho fame. Non finiva mai.

– Oh' che credevi fosse un minuto? Aspetta, e vedrai! Ti
calerà il moccio e la bava, ti verrà la fame e la sete. Oh, oh,
guarda Margherita Carboni.

La bimba, con le calze violette, la sciarpa rossa, i polsini
di lana verde, s'avanzava fra un nugolo di scolarette, - uscite
dalla scuola dopo i maschi, - e passò davanti ai due amici
senza degnarsi di guardarli. Dopo il gruppo che la circondava
venivano altri gruppi di ragazzette, povere e ricche, paesane e
borghesi, alcune già alte e civettuole.

I ragazzi di quarta e di quinta si fermavano a guardarle e
ridevano fra loro.

– Fanno all'amore, – disse Bustianeddu. – Se i maestri li
vedono!...

Anania non rispose, convinto che gli scolari e le scolare di
quarta e quinta fossero abbastanza grandi per far all'amore.

– Si scambiano anche delle lettere! – riprese Bustianeddu,
con grande importanza.

– Anche noi, quando saremo in quarta, faremo all'amore!
– disse Anania con semplicità.

– Che cosa fai tu, mammalucco! Impara prima a pulirti il
naso.

E si presero per mano e si misero a correre.

*
**

Dopo quel giorno altri ed altri ne passarono; tornò l'inverno, venne riaperto il molino, ricominciarono le scene
dell'anno avanti. Anania era il primo della classe e fin d'allora
tutti dissero che egli sarebbe diventato medico o avvocato o
magari giudice.

Tutti sapevano che il signor Carboni aveva promesso di
assisterlo negli studi; ed anche lui lo sapeva, ma ancora non
riusciva a farsi una giusta idea del valore di questa promessa.
Solo più tardi cominciò in lui la gratitudine; per allora provava una soggezione invincibile e nello stesso tempo una vera
felicità quando vedeva la florida ed affabile persona del padrino. Spesso veniva invitato a pranzo dal signor Carboni, ma,
strano invito, egli doveva mangiare in cucina, con le serve ed i
gatti; del che non si lamentava perché gli pareva che a tavola,
coi signori, non avrebbe potuto aprir bocca per la soggezione
e per la gioia.

Dopo il pranzo Margherita usciva in cucina e s'intratteneva con lui, per lo più chiedendogli informazioni sulle persone
che frequentavano il molino; poi lo conduceva di qua e di là,
nel cortile, nei granai, in cantina, compiacendosi quando egli
esclamava col fare di Bustianeddu: – eh, diavolo, quanta roba
avete! – ma non si abbassava mai a giocare con lui.

Gli anni passarono.

Dopo la maestrina dai baffi venne la volta del maestro che

pareva un gallo; poi d'un vecchio maestro tabaccone che additando l'isola di Spitzberg diceva piangendo: «qui fu imprigionato Silvio Pellico»; poi di un piccolo maestro dalla testa rotonda, pallido, molto allegro, che si suicidò. Tutti gli scolari rimasero morbosamente impressionati dal fatto doloroso; per molto tempo non pensarono e non parlarono d'altro, ed Anania, che non sapeva persuadersi come il maestro si fosse potuto uccidere mentre era un uomo allegro, dichiarò in piena scuola che era pronto a suicidarsi alla prima occasione.

Fortunatamente l'occasione mancava; egli in quel tempo non aveva dispiaceri; era sano; amato dai suoi, sempre primo nella scuola. Intorno a lui la vita si svolgeva sempre eguale, con le stesse figure ed i meschini avvenimenti, – un giorno simile all'altro, un anno simile all'altro, – come la stoffa a disegni eguali che il mercante svolge dall'interminabile pezza.

D'inverno convenivano nel frantoio sempre le stesse persone, gli stessi tipi, e si rinnovavano le stesse scene.

In primavera il sambuco fioriva nel cortiletto, le mosche e le api ronzavano nell'aria luminosa; nelle strade e nelle case si delineavano sempre le stesse figure; zio Barchitta il pazzo, con gli occhi azzurri fissi e la barba ed i capelli lunghi, simile ad un vecchio Gesù mendicante, continuava nelle sue innocue stravaganze, – Maestro Pane segava le assi, e parlava fra sé a voce alta, – Efes passava barcollando, – Nanna lo seguiva, – i bambini laceri giocavano coi cani, i gatti, le galline, i porcetti, – le donnicciole si bisticciavano, – i giovanotti cantavano cori melanconici nelle notti serene illuminate dalla luna, – il lamento di Rebecca vibrava nell'aria simile al canto del cuculo nella tristezza d'un paesaggio desolato.

Come appare il sole in uno squarcio improvviso di cielo velato, qualche volta appariva nel misero vicinato ove Anania viveva, la florida figura del signor Carboni. Le donne uscivano sulla porta per salutarlo e sorridergli; gli uomini disoccupati, sdraiati indolentemente al sole, balzavano in piedi arrossendo; i bambini gli correvano dietro, baciandogli le mani ch'egli teneva bonariamente intrecciate dietro la schiena.

Durante un rigido inverno di carestia egli provvide di polenta e d'olio tutto il vicinato. Tutti ricorrevano a lui per piccoli prestiti che non venivano mai restituiti: qua e là, per tutte le stradette dove il vento portava foglie, paglia e immondezze, egli incontrava bambini e ragazzi che lo chiamavano «padrino» e donne ed uomini che lo chiamavano «compare»; ormai non ricordava più il numero dei suoi figliocci, e zio Pera affermava malignamente che non poche persone si fingevano compari e comari del padrone per carpirgli danari.

– Eppoi molti sperano che egli aiuti negli studi i loro figliuoli! – disse un giorno il vecchio ortolano, seduto davanti al forno del frantoio, col randello sulle ginocchia.

– Eh, qualcuno ne aiuterà bene! – osservò il mugnaio, con evidente compiacenza, guardando Anania che stava affacciato alla finestra.

– Non più d'uno! Il padrone è un po' vano, ma non si rovina, poi!

– Che dite voi, vecchia cavalletta! – esclamò il mugnaio, adirandosi. – Come il diavolo, voi, più invecchiate, più diventate maligno.

– Andiamo! – riprese il vecchio raschiando e tossendo. – E le cose forse non si sanno? Ebbene, solo i cani riescono a nascondere le loro immondezze. Perché il padrone non fa studiare i suoi bastardi?

Anania, che guardava alla finestra, sotto la quale odorava un mucchio di sanse fumanti, sentì un fremito di dolore, come se qualcuno l'avesse percosso.

Il mugnaio raschiò e tossì a sua volta, e avrebbe voluto

che Anania non udisse le parole sacrileghe dell'ortolano, ma anche lui non poté contenersi, e cominciò ad inveire contro zio Pera.

– Schifoso, maligno, topo morto, che modo di parlare è il vostro?

– E che le cose non si sanno? – ripeté il vecchio, prendendo il randello in mano, come per difendersi da un possibile attacco. – Il bambino che lavora nella bottega di Franziscu Carchide è forse figlio di Gesù Cristo? Ebbene, perché il padrone non fa studiare quel bambino, che è suo?

– È il figlio d'un prete, – disse il mugnaio, abbassando la voce.

– Non è vero. È del padrone. Osservalo; è tal e quale a *Margarita*.

– Ecco, – rispose il mugnaio completamente disarmato, – quel bambino è cattivo come il diavolo: non si può far studiare. Si può combattere contro le pietre?

– Ah, bene! – mormorò zio Pera, ripreso da un attacco di tosse.

Anania stette ancora alla finestra, sputando sul mucchio di sanse, oppresso da una misteriosa tristezza. Egli conosceva il ragazzetto che lavorava presso il Carchide, e sapeva che era discolo, ma non più di Bustianeddu e d'altri ragazzi che frequentavano la scuola. Perché il signor Carboni non lo prendeva in casa sua, se era suo figlio, come lui era stato preso dal mugnaio? Poi pensò: – Ha madre, quel ragazzetto? – Ah, la madre, la madre! A misura che egli cresceva, che la sua mente aprivasi e le sue idee e le sue percezioni prendevano forma, il pensiero della madre delineavasi sempre più chiaro nel crepuscolo della sua coscienza nascente. In quel tempo egli frequentava la quarta elementare, tra fanciulli di ogni condizione e di ogni carattere, e cominciava ad aver sentore della scienza del bene e del male. Si vergognava già coscientemente se qualcuno alludeva a sua madre, e ricordava di essersene sempre vergognato per istinto; e nello stesso tempo provava un desiderio struggente di sapere ove *ella* era, di rivederla, di rimproverarle la sua fuga. Già la terra ignota, lontana e misteriosa, ove *ella* s'era rifugiata, prendeva ai suoi occhi linee e parvenze decise, come la terra che tra i vapori dell'alba s'avvicina al naviglio viaggiante.

Egli studiava con piacere la geografia, e sapeva già perfettamente l'itinerario da percorrere per arrivare dall'isola a quel continente dove si nascondeva sua madre. E come un tempo, nel villaggio dell'alta montagna, sognava la città dove viveva suo padre, adesso pensava alle grandi città di cui leggeva notizie nei libri di scuola, ed in una di esse, ed in tutte, vedeva sua madre. L'immagine fisica di lei si scoloriva sempre più nella sua memoria come una vecchia fotografia, ma egli se la figurava sempre vestita in costume, scalza, svelta e triste.

Un fatto accaduto qualche anno appresso sconvolse però le sue fantasticherie. Fu il ritorno della madre di Bustianeddu.

In quel tempo Anania frequentava il ginnasio ed era segretamente innamorato di Margherita Carboni: si credeva quindi già una persona seria, e finse di non interessarsi al fatto che commuoveva tutti i suoi vicini di casa, mentre invece vi pensava giorno e notte. Oppresso da un cumulo d'impressioni dolorose.

Egli non vide presto la donna, nascosta in casa di una sua parente, ma giorno per giorno riceveva le confidenze di Bustianeddu, che era diventato un giovinetto serio ed astuto.

Siccome zio Pera perdeva le forze, s'era associato il mugnaio nella coltivazione delle fave e dei cardi. Anania aveva quindi libero ingresso nell'orto, e amava studiare seduto sull'erba del ciglione, nella corta ombra dei fichi d'India,

davanti al selvaggio panorama dei monti e della vallata. Qui
Bustianeddu veniva a trovarlo ed a confidargli i suoi pensieri.

– È tornata! – diceva, steso a pancia a terra sull'erba, e
muovendo le gambe in aria. – Era meglio che non tornasse.
Mio padre voleva ammazzarla, ma poi s'è calmato.

– L'hai veduta?

– Sicuro che l'ho veduta. Mio padre non vuole che io vada
da lei, ma io ci vado egualmente. È grassa, vestita da signora.
Io non l'ho riconosciuta, diavolo!

– Tu non l'hai riconosciuta! – esclamava Anania, palpitando, meravigliandosi di Bustianeddu e pensando a sua madre. Ah, egli l'avrebbe riconosciuta subito! Ma poi diceva a
se stesso: – Anche *lei* sarà vestita da signora, pettinata alla
moda... Dio, Dio, come sarà?

– In tutti i modi la riconoscerei, oh, ne sono certo! – pensava poi, confidando nel suo istinto.

– Perché è tornata tua madre? – chiese un giorno a Bustianeddu.

– Perché? Oh, bella, perché questo è il suo paese. Essa
cuciva a macchina, in una sartoria di Torino; era stanca ed è
tornata.

Un grave silenzio seguì a queste parole: i due ragazzi sapevano che la storia della sartoria era una menzogna, ma
l'accettavano incondizionatamente. Anzi, dopo un momento,
Anania osservò:

– Ed allora tuo padre dovrebbe far la pace.

– No! – disse Bustianeddu, fingendo di dar ragione a suo
padre. – Ella non aveva bisogno di lavorare per vivere!

– Oh, che tuo padre non lavora? È vergogna lavorare?

– Mio padre è un negoziante! – corresse l'altro.

– Che farà ora tua madre? E tu con chi andrai a stare?

– Chi lo sa!

Di giorno in giorno, però, le notizie diventavano sempre più emozionanti.

– Se tu sapessi quanta gente viene da mio padre per pregarlo di far la pace con *lei!* Anche il deputato, sì. Poi venne la nonna, ieri notte, e disse a mio padre: Gesù perdonò alla Maddalena; ebbene, figlio mio, pensa che siamo nati per morire; pensa che al di là noi rechiamo con noi solo le buone azioni. Guarda come è desolata la tua casa; i topi vi fanno continuamente festa.

– E tuo padre?

– Andate via, – disse arrabbiandosi, – andate via subito; vergognatevi.

– Ed ora, – disse Bustianeddu il giorno appresso, – ora s'è immischiata anche zia Tatàna! Che sermone ha fatto! Ecco, – ha detto a mio padre, – figurati di prendere in casa un'amica. Prendila: ella è pentita, si emenderà. Se tu rifiuti chissà che cosa avverrà di lei! Re Salomone aveva settanta amiche in casa sua ed era l'uomo più savio del mondo.

– E lui?

– Duro come la pietra; anzi disse che le amiche fecero perder la testa a Salomone.

Infatti il negoziante non si piegò mai; e la donna andò ad abitare dall'altra parte del paese, verso il convento ov'erano le scuole; rivestì il costume, ma un costume un po' falsato, arricchito di nastri e di merletti, e dal quale si riconosceva subito la donna di fama equivoca. Il marito non perdonò, ed ella continuò la sua vita.

Anania la vide un giorno, e poi sempre, mentre si recava al ginnasio; ella abitava una casa nerastra, intorno alle cui finestre biancheggiava una striscia di calce che terminava in una croce. Sotto la porta c'erano quattro scalini, e spesso la donna, che era alta e bella, sebbene non più giovanissima e

molto bruna di viso, stava seduta sugli scalini, cucendo o rica-
mando una camicia paesana. In estate rimaneva a testa nuda,
coi capelli nerissimi rialzati un po' a ciuffo sulla breve fronte,
e teneva un fazzolettino di seta grigia intorno al lungo collo.

Anania arrossiva ogni volta che la vedeva; provava una
morbosa simpatia per lei, e nello stesso tempo gli pareva di
odiarla. Avrebbe voluto cambiar strada per non vederla, ma
una forza occulta e maligna lo attirava sempre in quella via.

CAPITOLO VI

Erano le vacanze pasquali.

Un giorno, mentre Anania studiava la grammatica greca, passeggiando in un piccolo viale solcato tra il verde cinereo d'una distesa di cardi, udì picchiare al cancello.

Nell'orto c'era anche il mugnaio, che zappava canticchiando una poesia amorosa del poeta Luca Cubeddu; Nanna estirpava male erbe, aiutata da zio Pera; ed Efes Cau, naturalmente ubriaco, stava coricato sull'erba.

Faceva quasi caldo; nuvolette rosee correvano sul cielo latteo, perdendosi dietro i ceruli picchi dei monti d'Oliena; dalla vallata salivano, quasi da una immensa conchiglia colma di verde, profumi e suoni sfumati nell'aria calda.

Ogni tanto Nanna si sollevava, con una mano sulla schiena, con l'altra gettando baci allo studente.

– Anima mia, – diceva con tenerezza. – Dio ti benedica. Eccolo là che studia come un piccolo canonico. Chissà cosa diventerà! Diventerà giudice istruttore; tutte le ragazze della città lo vorranno raccogliere come un confetto. Ah, la mia povera schiena!

– Lavora! – rispondeva zio Pera. – Che una palla ti trapassi il fegato, lavora, e lascia tranquillo il ragazzo...

– Che voi siate pelato; se fossi stata una ragazzetta di tredici anni non mi avreste parlato così... – ella insinuava malignamente, curvandosi: poi tornava a sollevarsi e ad inviar baci ad Anania, che non se ne accorgeva affatto.

– Che è? – gridò il mugnaio, udendo picchiare al cancello.

Anania ed Efes sollevarono il viso, l'uno dal libro, l'altro dall'erba, quasi con la stessa espressione d'attesa angosciosa. Che fosse il signor Carboni? Sì, Anania e l'ubriacone provavano quasi la stessa soggezione vergognosa quando il signor Carboni li sorprendeva nell'orto: Efes Cau sentiva tutto il peso della sua abbiezione quando l'uomo benefico, con uno sguardo dolce e triste, senza rivolgergli – unico fra tanti – inutili parole di rimprovero, lo salutava e si intratteneva con lui; Anania ricordava sua madre e sentiva vergogna di se stesso che osava pensare a Margherita; eppure entrambi, lo studente e il vizioso, dopo aver veduto la figura bonaria dell'uomo retto, provavano una gioia timida e grata.

Picchiarono ancora.

– Ebbene, chi è? – gridò il mugnaio, smettendo di cantare e di zappare.

– Vado io, – disse Anania, mettendosi a correre e agitando il libro in aria, mentre zio Pera diceva:

– Se è il padrone bisogna che Efes si alzi e finga di lavorare: è una vergogna che lo si trovi sempre lì, buttato per terra come un cane morto.

Nanna emise una specie di grugnito, raccogliendosi fra le gambe rosse seminude le sottane lacere. Zio Pera gridò, rivolto all'ubriaco:

– E dunque, *palandrone*, alzati e fingi di aiutarci...

Efes fece atto di sollevarsi, ma subito Nanna si ribellò:

– Ed io me ne vado! Perché deve egli fingere di lavorare? Perché lo insultate, zio Pera *Sa Gattu*, che voi siate pelato? Non sapete che egli era ricco, e che anche così come è vale sempre più di voi?

– Tu lo difendi! Corvo con corvo non si cavan gli occhi! – sogghignò il vecchio, alludendo al vizio della donna: ma la contesa fu tosto troncata dal ritorno di Anania. Lo seguiva un giovinetto in costume di Fonni, magro e pallido e con un visetto da topo.

– Conoscete costui? – chiese lo studente, rivolgendosi al padre. – Neppur io l'ho riconosciuto.

– Chi sei? – chiese il mugnaio, pulendosi le mani con un ciuffo d'erba. Il giovinetto rise timidamente e guardò Anania.

– Eh, Zuanne Atonzu! – gridò lo studente. – Guardate come si è fatto grande!

– Salute! Noi siamo parenti, – esclamò il mugnaio abbracciando il fonnese. – Che tu sii il benvenuto; come sta tua madre?

– Bene.

– Perché sei venuto?

– Sono testimonio in una causa in Tribunale.

– Dove hai lasciato il cavallo? Nella locanda? Non ricordavi che noi siamo parenti? Eh che, dunque? Perché siamo poveri non vuoi ospitare da noi?

– Siccome io son ricco!... – osservò sorridendo il giovinetto.

– Ebbene, andiamo e conduciamo il cavallo a casa nostra, – disse Anania cacciandosi il libro in tasca.

Uscirono assieme; Anania puerilmente felice di rivedere l'umile pastorello in rozzo costume, che gli ricordava tutto un mondo lontano e selvaggio, Zuanne vinto da una grande timidezza davanti al bel signorino pallido e fresco, dalla cravatta fiammeggiante sul colletto lucido.

– Mamma, dateci il caffè, – gridò Anania dalla strada; poi introdusse l'ospite nella sua cameretta e cominciò come un bimbo a fargli vedere le sue cose.

Mobili strani riempivano la camera lunga e stretta, dal soffitto di canne coperte di calce, e il pavimento di terra: due arche di legno, rassomiglianti agli antichi cofani veneziani, sulle quali un primitivo artista aveva scolpito grifi ed aquile, cinghiali e fiori fantastici; un cassettone piramidale, canestri appesi alle pareti accanto a quadretti con la cornice di sughero; in un angolo un'olla per olio, nell'altro il lettino di Anania, coperto da una stoffa di lana grigia filata da zia Tatàna; e fra il lettino e la finestruola, che guardava sul sambuco del cortile, un tavolino con un tappeto di percalle verde, ed una scansia di legno bianco nei cui angoli la fantasia artistica di Maestro Pane aveva traforato, forse ad imitazione delle arche, foglie e fiori antidiluviani. Sul tavolino e nella scansia stavano pochi libri e molti quaderni; tutti i quaderni scritti da Anania; parecchie scatole legate misteriosamente, calendari e pacchetti di giornali sardi. Tutto era pulito ed ordinato: dalla finestra penetravano onde d'aria profumata, sul pavimento bruno qua e là screpolato volteggiavano, quasi inseguendosi e scherzando, due foglie di sambuco; sul tavolino stava aperto un volume dei *Miserabili*.

Quante, quante cose Anania avrebbe potuto e voluto far vedere al giovinetto straniero, come ad un fratello lungamente atteso! Ma mentre egli apriva e richiudeva qualcuna di quelle scatole legate misteriosamente, Zuanne taceva, e il suo contegno gelido spense la gioia puerile di Anania.

A che serviva? Perché aveva egli introdotto quel mandriano nella cameretta ove assieme con la fragranza del miele, delle frutta e dei mazzi di spigo che zia Tatàna conservava entro le arche, si spandeva il profumo dei suoi sogni solitari? In quella cameretta dalla cui finestruola sul sambuco, sui tetti erbosi delle casette di pietra, il mondo s'apriva per lui vergine e fiorito come i monti granitici del vicino orizzonte?

Dopo la gioia provò un impeto di tristezza: gli sembrò che il villaggio natìo, il passato, i primi anni della sua vita, i ricordi nostalgici, l'affetto poetico per il fratellino d'adozione, tutto fosse stato un sogno.

– Andiamo, – disse quasi con dispetto. E trasse il pasto-rello per le vie di Nuoro, scansando i compagni di scuola, pauroso che lo fermassero e gli chiedessero chi era il paesano che gli camminava goffamente accanto.

Ma passando davanti alla casa del signor Carboni, videro affacciarsi al portone un viso grassotto, colorito e quasi illu-minato dal riflesso di una fiammante camicetta rossa.

Anania si tolse rapidamente il cappello, mentre pareva che il riflesso della camicetta illuminasse anche il suo viso: Mar-gherita gli sorrise, e mai guancie tonde di signorina furono segnate da più irresistibili fossette.

– Chi è quella donna? – chiese rozzamente Zuanne, appe-na oltrepassata la casa.

– Donna! È una ragazza della mia età! – osservò un po' bruscamente Anania. – Ha solo nove mesi più di me.

Al che Zuanne fu còlto da grande imbarazzo e non osò più fiatare mentre Anania, come se la volontà non gli bastasse per tener ferma la lingua, mentiva pur sapendo di mentire, ma provando una struggente felicità al pensare che ciò che diceva potesse esser vero.

– Quella è la mia innamorata, – disse.

**
*

La notte, mentre in cucina il mugnaio, coricato su una stuoia, si faceva raccontare da Zuanne la scoperta delle rovine di Sorrabile, l'antica città dissotterrata nei dintorni di Fonni, e domandava se vi si potevano trovare ancora tesori, Anania guardava dalla sua finestruola il lento sorgere della luna fra i denti neri dell'Orthobene.

Finalmente era solo! La notte regnava, piena di fremiti e

di dolcezza, e già il cuculo riempiva di gridi palpitanti la solitudine della valle. Ah, così tristemente Anania sentiva gridare
e palpitare il suo cuore, in una solitudine infinita.

Perché aveva mentito? E perché quello stupido pastore aveva taciuto nell'udire la grande rivelazione? Non capiva
dunque che cosa era l'amore, l'amore senza confine e senza
speranza?

Ma perché s'era egli abbassato fino alla menzogna? Ah,
vergogna, vergogna! Gli pareva di aver calunniato Margherita, tanto si credeva ignobile e lontano da lei: e che lo stesso
spirito di vanità e il desiderio dell'inverosimile, che una volta
gli avevano fatto dire a Zuanne l'incontro dei banditi sulla
montagna, in un lontano tramonto, l'avessero ora spinto a
rivelargli quest'amore impossibile.

Attaccò le mani fredde alle guancie ardenti, con gli occhi
rivolti al viso melanconico della luna, e rabbrividì. Ricordava
un freddo e luminoso plenilunio d'inverno, la vergogna e la
rivelazione del furto delle cento lire, la figura di Margherita
che spandeva luce nell'ombra, come la luna nella notte. Ah,
forse il suo amore datava da quella sera; ma soltanto adesso,
dopo anni ed anni, scaturiva irrefrenabile come una sorgente
che non vuole più scorrere sotterra.

Questi paragoni, – dell'ombra e della sorgente improvvisa, – venivano fatti da lui; ed egli si compiaceva delle sue
immagini poetiche, ma non cancellava con esse la vergogna
ed il rimorso che lo tormentavano.

– Come sono vile, – pensava, – vile fino alla menzogna.
Io potrò studiare e diventare avvocato, ma anche moralmente
resterò sempre il figlio d'una donna perduta...

Rimase lungo tempo alla finestra: un canto triste passò e
dileguò, lontano, ridestando nell'anima dell'adolescente i ricordi della patria selvaggia, i tramonti sanguigni, le memorie

d'infanzia.

E sogni melanconici e luminosi come la luna gli sorsero nell'anima. S'immaginò di trovarsi ancora a Fonni; non aveva studiato, non aveva mai sentito la vergogna della sua condizione sociale; lavorava, faceva il mandriano, era anche lui un po' semplice come Zuanne. Ed ecco che si trovava sull'orlo della strada, in un rosso crepuscolo d'estate e vedeva Margherita passare, – povera anch'essa ed esiliata sull'alto paesello – coi fianchi stretti dalla gonna d'orbace, l'anfora sul capo, simile alle donne bibliche come lo sono ancora tutte le Barbaricine. Egli la chiamava ed essa volgeva il viso illuminato dal bagliore del crepuscolo, e gli sorrideva voluttuosamente.

– Dove vai, bella? – egli chiedeva.

– Vado alla fontana.

– Posso venire con te?

– Vieni pure, Nanìa.

Egli andava: e scendevano assieme alla fontana, camminando sull'orlo della strada, sull'alto delle immense valli, nella cui profondità la sera già si stendeva, mentre il cielo purpureo si scoloriva e veli d'ombra cadevano su tutte le cose. Margherita deponeva l'anfora sotto il filo argenteo della fontana gorgogliante, e il mormorio dell'acqua cambiava di tono, e di monotono pareva diventasse allegro, come se il cader dentro la brocca interrompesse la sua eterna noia. I due giovanetti allora si sedevano su una pietra, davanti alla fontana, e parlavano d'amore. L'anfora si riempiva, l'acqua traboccava e per qualche istante taceva, quasi ascoltando ciò che i due innamorati dicevano. Ed ecco che il cielo si scoloriva e i veli dell'ombra si stendevano anche sulle falde più alte della montagna, come il desiderio di Anania invocava. Egli allora cingeva con un braccio la vita della fanciulla; Margherita posava il capo sulla spalla di lui; egli la baciava...

* *
*

In quel tempo Anania, poco più che diciassettenne, non aveva amici, e coi compagni di scuola andava poco d'accordo perché era diffidente e scontroso. Temeva continuamente che qualcuno gli rinfacciasse la sua origine, e un giorno, avendo sorpreso un brano di dialogo fra due studenti: «tu cosa faresti?» «nelle sue condizioni io non resterei col padre» credette accennassero a lui. Non salutò più i ricchi compagni che avevano pronunziato quelle parole, ma nel profondo del cuore diede loro ragione.

«Sì,» pensava, «perché rimango presso quest'uomo sucido che ha ingannato mia madre e l'ha gettata nella via del male? Io non lo amo e non lo odio, ma non lo disprezzo come dovrei. Egli non è cattivo e neppure completamente triviale come tutti i nostri vicini: coi suoi sogni bambineschi di tesori e di cose meravigliose, col suo affetto rispettoso verso la vecchia moglie, con la sua fedeltà costante per la famiglia del *padrone*, egli mi riesce talvolta simpatico, e questo mi dispiace, perché io dovrei e vorrei disprezzarlo. Che cosa è per me lui? Gli ho chiesto io di farmi nascere? Io dovrei abbandonarlo, ora che sono cosciente...»

Ma un po' d'affetto e molta confidenza lo univano a zia Tatàna. Essa non era riuscita a far di lui quello che aveva sognato, cioè un ragazzo religioso e obbediente, ma anche così come egli era, indifferente a Dio, maldicente dei preti e del re, protervo e spregiudicato, lo amava egualmente, convinta che egli, nonostante i suoi difetti, sarebbe diventato un grande uomo. Egli rideva e scherzava con lei, la faceva ballare, le raccontava tutti gli avvenimenti del paese. Ogni mattina ella gli portava a letto una tazza di caffè, e gli annunziava se la giornata era bella o brutta; tutte le domeniche, poi, gli prometteva denari se egli andava a messa.

– No, ho sonno, – egli rispondeva; – ho studiato tanto ieri notte.

– Allora andrai più tardi, – ella insisteva. Egli non prometteva, ma zia Tatàna gli dava egualmente i denari.

E sempre intorno a lui svolgevasi la stessa scena, con gli stessi personaggi: ancora il sambuco profumava l'aria e gettava foglie nella cameretta silenziosa; il vento portava dalle valli il soffio della selvaggia primavera nuorese; le api ronzavano nell'aria tiepida, e ancora, a intervalli, vibrava il lamento di Rebecca.

Anania frequentava tutte le case del vicinato, e specialmente la domenica s'indugiava qua e là, portando nei miseri ambienti neri l'eleganza del suo vestito bleu, della cravatta rossa e del colletto alto, sotto il quale celavasi il cordoncino dell'amuleto di Olì.

L'indomani del sogno idilliaco fatto al chiaro di luna sul davanzale della sua finestruola, appena Zuanne ritornò dal Tribunale egli lo condusse fuori, con la buona intenzione di fargli bere un calice di anisetta nella bettola del vicinato.

– Chissà quando ci rivedremo! – disse il mandriano, – quando dunque verrai a trovarci? Vieni per la festa dei Martiri.

– Non posso. Ho tanto da studiare: quest'anno devo prendere la licenza ginnasiale.

– E poi dove andrai? In continente?

– Sì! – rispose Anania con impeto. – Andrò a Roma.

– Ci sono tanti conventi a Roma, e più di cento chiese, non è vero?

– Oh! più di cento, certamente.

– Ieri notte tuo padre raccontava che quando era soldato...

– Dovrai fare il servizio militare, tu? – interruppe Anania, che non badava all'espressione del volto di Zuanne.

– Lo farà mio fratello. Io...

Tacque. Entrarono nella bettola. Un nugolo di mosche ronzava attorno ad una fanciulla bruna e bella, ma spettinata e sucida, seduta al banco.

– Buon giorno, Agata; come hai passato la notte?

Ella si alzò e si rivolse ad Anania con triviale famigliarità.

– Che vuoi, bello?

– Che vuoi? – ripeté egli a Zuanne.

– Quello che vuoi tu, – disse impacciato il pastorello.

La fanciulla si mise a rifare la voce e l'atteggiamento di Zuanne.

– Quello che vuoi tu... E tu cosa vuoi, agnellino mio?

Guardò sfacciatamente Anania, ed anche Anania la guardò. Dopo tutto egli non era un santo; ma si avvide che Zuanne arrossiva e chinava gli occhi, e quando uscirono si sentì chiedere timidamente:

– Anche quella è tua innamorata?

– Perché? – egli domandò un po' irritato, un po' allegro. – Perché mi guardava? Oh, bella, a che servono gli occhi? Ti farai frate, tu?

– Sì, – rispose l'altro semplicemente.

– E va a farti frate! – esclamò Anania, ridendo. – E adesso andiamo a vedere il Camposanto: così staremo allegri.

– Eppure dobbiamo andarci tutti! – disse gravemente l'altro.

Mentre ritornavano verso casa, incontrarono un compagno di scuola di Anania, un brutto ragazzo che s'era già fatto crescere i baffi e la barba a forza di strofinarsi e radersi il volto.

– Atonzu, vengo da te. Ti vuole il direttore. Tu dunque farai da donna, – egli disse, fermando Anania.

– Io? Macché donna d'Egitto! Non farò niente, io! – rispose Anania con molto sussiego.

– Come si fa, allora? Sei l'unico tipo adatto! Non è vero
che rassomiglia a una donna? Guarda! – esclamò lo studente
brutto rivolgendosi a Zuanne.

– Sei bello... – disse timidamente il giovinetto.

Anania si inchinò, levandosi il cappello.

– Grazie, altrettanto!

– Sì, dunque, non fare il modesto: sei bello! – ripeté lo
studente brutto: – vieni dunque dal direttore.

– Più tardi, ma io non farò da donna, parola d'onore, no!

– Perché deve far da donna? – domandò con meraviglia
Zuanne.

– In una commedia, capisci: ed è per beneficenza... per gli
studenti poveri...

– Io sono povero, fatela dunque voi in mio favore, la commedia! – disse Anania.

– Povero! Sentilo! Il diavolo ti porti, tu sei più ricco di noi!

– Che cosa vuoi dire? – chiese Anania minaccioso, rabbu-
iandosi al pensiero che il compagno accennasse alla protezione del signor Carboni.

– Tu sei bello, sei il primo, tu diventerai giudice istruttore
e tutte le fanciulle ti vorranno raccogliere come un confetto...

Questa espressione, che Nanna ripeteva dappertutto, fece
ridere e calmò Anania; ma egli tenne la parola e non prese
parte alla commedia. E non se ne pentì, perché la sera della
rappresentazione egli poté assistervi seduto in seconda fila,
subito dietro la sedia del padrino (in quel tempo sindaco di
Nuoro) al cui fianco Margherita, in abito rosso e cappello
bianco, risplendeva come una fiamma.

Il capitano dei carabinieri, il segretario della Sotto-prefet-
tura, l'assessore anziano ed il direttore del ginnasio sedevano
in prima fila, accanto al sindaco ed alla sua splendida signorina; Margherita, però, non sembrava soddisfatta di tanta

compagnia, perché si voltava indietro guardando con dignità gli studenti e gli ufficiali.

In fondo alla sala adorna di ghirlande d'edera e di vitalba, il sipario di percalle qua e là rattoppato ondulava e lasciava scorgere coppie di studenti che ballavano allegramente. Alla fine il tendone fu tirato su con grande stento e la commedia cominciò.

La scena risaliva al tempo delle Crociate, e si svolgeva in un castello molto turrito e vetusto all'esterno, per quanto all'interno fosse arredato con un solo tavolino rotondo e mezza dozzina di sedie di Vienna.

La fida Ermenegilda, uno studentino dal viso tinto con carta rossa, indossava un largo vestito da camera della signora Carboni; seduta presso il balcone, con le gambe accavalcate indecentemente, ricamava una sciarpa per il non meno fido Goffredo, guerriero lontano.

– Ora si punge le dita, – mormorò Anania, chinandosi verso Margherita.

Ella si chinò a sua volta, portando il fazzoletto alla bocca per soffocare una risata.

Il capitano dei carabinieri, seduto accanto a lei, volse lentamente il capo, dando un bieco sguardo allo studente. Ma Anania si sentiva tanto felice, aveva una pazza voglia di ridere e voleva comunicare a Margherita tutta la gioia che la vicinanza di lei gli destava.

Nel secondo atto il conte Manfredo, padre di Ermenegilda, voleva costringere la fanciulla ad obliare Goffredo e sposare un ricco barone di Castelfiorito.

– Padre mio! – diceva la donzella, aprendo le gambe in modo sguaiato. – A che mi vuoi tu costringere? Mentre il prode Goffredo langue forse in una prigione orrenda, tormentato dalla fame, dalla sete e da...

– ...dagli insetti, – mormorò Anania, chinandosi nuovamente verso Margherita.

Il capitano si volse di botto e disse con disprezzo:

– La finisca, dunque!

Anania sussultò, si ritrasse, gli parve d'essere umile e pauroso come la chiocciola che appena disturbata si ritira nel guscio; e per qualche minuto non vide e non udì più nulla.

«La finisca, dunque!» Sì, egli non poteva scherzare, non poteva parlare: sì, egli aveva capito benissimo; non poteva sollevare neppure gli occhi: egli era povero, era figlio della colpa... «La finisca, dunque!» Che faceva, lui, fra tutti quei signori, fra tutti quei giovani ricchi ed onorati? Come gli avevano permesso di entrare? Come aveva potuto chinarsi all'orecchio di Margherita Carboni e sussurrarle frasi volgari? Perché ora sentiva tutta la volgarità delle osservazioni fatte. Ma non poteva parlare altrimenti il figlio d'un mugnaio e di una donna... «La finisca, dunque!»

Ma a poco a poco riprese animo, e guardò con odio la nuca rossa e la testa calva del capitano.

Non udendolo più ridere né parlare, Margherita si volse alquanto e lo guardò: i loro occhi si incontrarono ed ella s'offuscò vedendolo triste, ed egli se ne accorse e le sorrise. Immediatamente tornarono allegri tutti e due; ella rivolse il viso al palcoscenico, ma *sentì* che gli occhi lunghi e socchiusi di Anania non cessavano di guardarla e di sorriderle. Una sottile ebbrezza li avvolse entrambi.

Verso mezzanotte Anania accompagnò i Carboni fino alla loro casa: l'assessore anziano, un vecchio medico chiacchierone, camminava a fianco del sindaco: Anania e Margherita andavano avanti, ridendo e inciampando sui ciottoli della strada buia e diruta. Gruppi di persone passavano, ridendo e chiacchierando.

La notte era scura, ma tiepida, vellutata: di tanto in tanto arrivava un soffio di levante, profumato da un odore di bosco umido. Stelle e pianeti, infiniti come le lagrime umane, oscillavano sul cielo profondo; sopra l'Orthobene Giove brillava vivissimo.

Chi non ricorda nella sua prima giovinezza una notte, un'ora così? Stelle oscillanti nell'oscurità d'una notte più luminosa d'un tramonto, stelle pronte a cadere sovra la nostra fronte, come un diadema regale; l'Orsa brillante, a guisa d'un carro d'oro che ci attenda per condurci in un lontano paese di sogni; una strada buia, la Felicità vicina, così vicina da poterla afferrare e non lasciarla mai più.

Due o tre volte Anania sentì la mano di Margherita sfiorare la sua; ma il solo pensiero di poterla prendere e stringere gli parve un delitto. Egli parlava e gli pareva di tacere e di pensare a cose ben lontane da quelle che diceva; camminava e inciampava e gli sembrava di non sfiorare la terra; rideva e si sentiva triste fino alle lagrime: vedeva Margherita così vicina da poterle stringere la mano, e gli pareva lontana e inafferrabile come il soffio del vento che veniva e passava.

Ella rideva e scherzava, ed egli aveva ben veduto negli occhi di lei il riflesso della sua sdegnosa tristezza; – ma gli sembrava che ella non potesse badare a lui che come ad un cane fedele. «Se ella,» pensava, «potesse immaginare che io mi struggo dal desiderio di stringerle la mano, griderebbe d'orrore come al morso di un cane arrabbiato».

Ad un certo punto la voce alta e nasale dell'assessore tacque; Margherita ed Anania si fermarono, salutarono, ripresero la via, ma lo studente parve destarsi da un sogno; tornò a sentirsi solo, triste, timido, barcollante nel vuoto della strada scura.

– Bravo, bravo! – disse il sindaco che si era messo fra i due ragazzi; – ti è piaciuta la commedia?

– È una stupidaggine, – sentenziò Anania con tono sicuro.

– Braaavo! – ripeté meravigliato il padrino. – Sei un critico acerbo, tu!

– Ma son cose da farsi quelle? Già, il direttore è un fossile; non poteva scegliere altro. La vita, la vita non è quella, non è stata mai quella!

– Potevano dare una commedia moderna: una cosa commovente: queste stupide contesse han fatto il loro tempo! – disse Margherita, prendendo il tono e l'accento d'Anania.

– Brava! Anche tu! Sì, davvero, dovevano dare una cosa più commovente: per esempio la commedia di quegli indiani che quando la moglie partorisce si mettono a letto e si fanno trattare da puerpere anche loro... avete sentito l'assessore?

Margherita rise: rise anche Anania, ma il suo riso si spense subito, come troncato da un improvviso pensiero triste. Camminarono in silenzio.

– Ebbene, questi lampioni; bisognerà provvedere, – disse piano, parlando a se stesso, il signor Carboni; poi a voce alta: – Cosa hai detto per il direttore?

– Che è un fossile.

– Bravo! E se vado a dirglielo?

– Che mi fa? Tanto l'anno venturo me ne vado.

– Ah, te ne vai? E dove?

Anania arrossì, ricordandosi che non poteva andar via senza l'aiuto del signor Carboni. Che significava ora la sua domanda? Non ricordava più? O si burlava di lui? O voleva fargli pesare già la sua protezione?

– Non lo so, – disse a bassa voce.

– Ah! – riprese il sindaco, – tu vuoi andar via? Non vedi l'ora di andar via? Andrai, andrai: tu vuoi volare già, tu scuoti già le ali, uccellino! Ebbene, ssssst, vola! – Fece atto di lanciare in aria un uccello, poi batté la mano sulle spalle del figlioccio. Ed Anania sospirò, e si sentì leggero, lieto e commosso come se veramente avesse spiccato il volo.

Margherita rideva: e nel silenzio della notte, il riso vibrante di lei pareva ad Anania, fattosi uccello, il fremito arcano d'un ramo fiorito sul quale egli poteva posarsi e cantare.

CAPITOLO VII

S'avanzava l'autunno.

Erano gli ultimi giorni che Anania passava in famiglia, ed egli si sentiva sempre più lieto, come l'uccello che sta per volare, ma una vaga tristezza velava talvolta la sua gioia, un trepido timore dell'ignoto lo inquietava. Mentre si chiedeva come era fatto il mondo verso cui si slanciava già col pensiero, doveva dire addio, lentamente, giorno per giorno, al mondo umile e triste nel quale s'era svolta la sua fanciullezza incolore, non oscurata che dal dolore dell'abbandono di sua madre, – non rischiarata che dal fantastico amore per Margherita. La stagione languida e dolce contribuiva a renderlo sentimentale. L'autunno incipiente velava il cielo d'infinita dolcezza; l'orizzonte si copriva d'un vapore latteo e roseo, che pareva velasse ma lasciasse intravedere un mondo di sogni ineffabili.

Nei crepuscoli verdognoli, rischiarati da nuvole rosse che serpeggiavano, svanivano e ricomparivano continuamente sul cielo glauco, Anania sentiva negli orti il crepitio e l'odore delle erbe secche bruciate dagli agricoltori, e gli sembrava che qualche cosa dell'anima sua svanisse col fumo di quei fuochi melanconici.

Addio, addio, orti guardanti la valle; addio scroscio lontano del torrente che annunzia il tornar dell'inverno; addio canto del cuculo che annunzia il tornar della primavera; addio grigio e selvaggio Orthobene dagli elci disegnati sulle nuvole come capelli ribelli d'un gigante dormente; addio rosee e cerule montagne lontane; addio focolare tranquillo e ospitale,

cameretta odorosa di miele, di frutta e di sogni! Addio umili creature inconscie della propria sventura, vecchio zio Pera
vizioso, Efes e Nanna disgraziati, Rebecca infelice, Maestro
Pane stravagante, pazzi, mendicanti, delinquenti, fanciulle
belle e inconsapevoli, bambini votati al dolore, gente tutta
infelice o spregevole che Anania non ama ma sente attaccata
alla sua esistenza come il musco alla pietra, gente tutta che
egli abbandona con gioia e con dolore!

E addio dolcezza e luce sopra tanti oscuri dolori, arcobaleno incurvato come cornice di perle sul quadro screpolato di
una miseria antica ed eterna, – Margherita, addio!

Il giorno della partenza si avvicinava. Zia Tatàna preparava
una infinità di cose, ed altre teneva pronte nella memoria:
camicie, calze, dolci, frutta, focacce lucide come avorio, pezze
di formaggio, e un pollo e dodici uova col sale e vino e miele
e uva passa, riempivano mano mano bisacce, cestini e scatole.

– Diavolo, – osservava Anania, – pare debba partire un
intero esercito.

– Silenzio, figlio mio! Quando sarai *là* vedrai come tutto
sarà necessario. Là nessuno penserà a te, poverino: ah, come
farai tu?

– Non dubitate, ci penserò io.

Il mugnaio e sua moglie tenevano lunghi colloqui segreti,
ed Anania ne indovinava il motivo; una sera poi li vide uscire
assieme e attese ansioso il loro ritorno.

Zia Tatàna rientrò sola.

– Anania, – disse, – dove dunque hai deciso di andare? A
Cagliari o a Sassari?

Egli veramente aveva fino a quel momento accarezzato il
sogno di attraversare il mare; ma dalle parole della donna
capì che qualcuno aveva stabilito di non lasciarlo ancora andar
oltre le coste sarde.

– Siete stata dal signor Carboni? – chiese con fiera amarezza. – Non negate. C'è bisogno di far segreti con me? Io so tutto, io. Perché dunque non mi lascia partire pel Continente? Gli restituirò tutto, io!

– Bah! bah! – esclamò zia Tatàna, mortificata e addolorata dall'impeto di fierezza dello studente. – Santa Caterina mia, che cosa ti passa in mente, adesso?

Anania sbuffò, sospirò, curvò il viso su un libro senza vederne una parola. La donna gli si avvicinò e gli posò una mano sulla spalla.

– Che cosa mi dici, dunque, figliuolo mio? Cagliari o Sassari? Non hai detto fino a ieri che volevi andare a Cagliari o a Sassari? Perché vuoi andare più in là? Gesù Maria, il mare è una brutta cosa: dicono che si soffre e che si può morire. E le tempeste poi? Non pensi alle tempeste?

– Voi non capite niente... – disse Anania, irritato, guardando e svolgendo le pagine come se leggesse vertiginosamente.

– Se l'hai detto tu! Che capricci son questi? Non si studia lo stesso tanto in Sardegna che in Continente? Perché vuoi andare là?...

Ah, perché voleva andare là? Che ne capivano loro? Era forse per studiare? Fin dal primo giorno, – quel dolce giorno d'autunno, – in cui Bustianeddu l'aveva condotto alla scuola nel convento, non aveva egli pensato ad un'altra cosa che non era lo studio?

Le ragioni di zia Tatàna calmarono alquanto la sua impazienza.

– Vedi dunque, tu sei ancora un bambino; a diciassette anni tu vuoi già correre solo pel mondo? Vuoi morire in mare, solo, lontano da tutti, o vuoi smarrirti in una città che tu stesso dici grande come una foresta? Va dunque a Cagliari, adesso: il signor Carboni ti darà tante lettere di raccomandazione: egli conosce tutta Cagliari: anche un marchese conosce. Ebbene, abbi pazienza. Santa Caterina mia! Andrai, andrai anche *là*, quando sarai più grande. Tu ora sei come la lepre appena slattata: ecco che essa lascia il covo e fa un piccolo giro fino al muro della *tanca*: poi torna, cresce, poi s'arrischia più in là, più in là ancora, guarda dove deve andare, vede la via da percorrere. Abbi pazienza. Pensa che siamo vicini, pensa che potrai tornare con più facilità ad ogni occorrenza. Nelle vacanze di Natale potrai tornare...

– Vado dunque a Cagliari! – decise Anania, rasserenato.

L'indomani cominciò a far le visite di congedo. Andò dal direttore del Ginnasio, da un canonico amico di zia Tatàna, dal medico, dal deputato, ed infine dal sarto, dal pasticciere e dal calzolaio Franziscu Carchide, il bel giovinotto che un tempo frequentava il molino. Ora il Carchide aveva fatto fortuna, non si sapeva né come né perché; possedeva una bella bottega, con cinque o sei lavoranti, vestiva in borghese, parlava affettato, e si permetteva di fare il galante con le signorine che serviva!

– Addio, – disse Anania entrando nella bottega, – posdomani parto per Cagliari: desideri qualche cosa?

– Sì, – rispose uno dei giovani, sollevando il volto sorridente, – mandagli un anello col diamante, perché egli deve sposarsi con la figlia del sindaco!

– E perché no? – esclamò boriosamente il Carchide. – Accomodati, dunque.

Ma Anania, disgustato per lo scherzo che gli pareva un'ingiuria a Margherita, s'accomiatò subito.

Uscendo incontrò sulla porta il giovinetto che la voce pubblica diceva figlio del Carboni; un ragazzo molto alto per la sua età, un po' curvo, pallido, con le mascelle sporgenti e gli occhi tristi e cerchiati, azzurri come quelli di Margherita.

– Addio, Antonino, – salutò lo studente, mentre l'altro lo guardava con un baleno d'odio nelle pupille melanconiche.

Rientrato a casa Anania riferì ogni cosa a zia Tatàna, mentre la donna, seduta davanti a un braciere, preparava un dolce di scorze d'arancio, mandorle e miele,[17] da portare in regalo ad un importante personaggio cagliaritano.

– Sentite, – disse Anania, – il vostro canonico mi ha regalato uno scudo, e due lire il medico. Io non volevo...

– Ah, cattivo figliuolo! È uso, questo, di regalare denari agli studenti che partono la prima volta, – osservò la donna, rimovendo e rimescolando delicatamente con due forchette i sottili fili della scorza d'arancio entro la lucida casseruola di stagno.

Un acuto odore di miele bollente profumava la cucina tranquilla: qua e là facevano capolino i piccoli cestini gialli colmi di provviste per lo studente.

Anania sedette presso la donna, prese il gatto sulle ginocchia e cominciò ad accarezzarlo.

– Dove sarò tra otto giorni? – chiese pensieroso. – Sta fermo, Mussittu, giù la coda. Il vostro canonico mi ha fatto una lunga predica.

– E ti consigliò di confessarti e comunicarti prima di partire?

– Ciò si faceva venti anni fa, quando si partiva a cavallo per Cagliari, e s'impiegavano tre giorni per arrivarci. Adesso non si usa più, – rispose maliziosamente Anania.

– Cattivo figliuolo, tu non credi più in Dio!

– Col cuore, sì!

Queste parole consolarono alquanto la buona donna che

---

17 È l'*aranciata*, con la quale forse il Sardo primitivo ha voluto imitare o riprodurre il favo del miele, del quale realmente l'aranciata prende la forma, il colore ed anche un po' la sostanza.

gli narrò l'episodio biblico di Eli; dopo gli chiese:

— Dove dunque sei stato?

Egli ricominciò a narrare: il gattino gli si era arrampicato sulle spalle e gli leccava le orecchie, dandogli un solletico strano che lo faceva, egli non sapeva perché, pensare a Margherita.

Mentre raccontava il volgare scherzo del Carchide entrò Nanna, che zia Tatàna aveva mandata a comperare droghe e confetti per ornare il dolce: ella puzzava di vino, aveva le sottane lacere, in modo che le si scorgevano le gambe legnose e violacee, ed era ributtante più del solito.

— Ecco qui, — disse, estraendo dal seno i pacchettini delle droghe, e fermandosi ad ascoltare i discorsi di Anania.

— Hai sentito? — esclamò ingenuamente zia Tatàna. — Quell'immondezza di Franziscu Carchide vuole sposare Margherita Carboni.

— Non è così! — disse Anania, irritato. — Non capite niente!

— Sì, — disse Nanna, — io lo so; egli è pazzo. Ha chiesto la mano delle figlie del medico; voleva o l'una o l'altra! L'hanno cacciato via col manico della scopa. Ora vuole Margheritina, perché prendendole la misura delle scarpine le ha stretto il piede...

— Doveva dargli un calcio! — gridò Anania, balzando in piedi, col gattino intorno al collo. — Un calcio sul viso!

Nanna lo guardò: i suoi piccoli occhi rifulgevano stranamente.

— Ecco, — disse, svolgendo i pacchettini con le mani tremolanti, — è quel che dissi io. Eppoi c'è anche un militare, un ufficiale o un generale, non so, che vuole sposare Margherita. Ma io dissi: no, ella è una rosa e deve sposare un garofano; freschi entrambi... Prendine dunque uno... — S'avvicinò ad Anania, porgendogli i confetti; ma egli balzò indietro gridando:

— Puzzate come una botte! Lontana da me!

Nanna traballò; qualche confetto cadde e rotolò sul pavimento.

– Il garofano mio! – diss'ella carezzevole, nonostante le cattive parole di Anania. – Sei tu il garofano di Margherita! Tu dunque parti? Va, studia, diventa dottore.

Anania si curvò, raccolse i confetti; poi rise e disse tutto felice:

– Mi raccatteranno così, le ragazze: non è vero?

E si mise a ballare col gattino fra le braccia. Ma d'improvviso ridiventò cupo.

Chi era il militare che voleva sposar Margherita? Forse quel capitano dal collo rosso, che a teatro gli aveva detto con disprezzo: *La finisca, dunque?* Improvvisamente gli balenò al pensiero una visione tormentosa: Margherita sposa d'un uomo giovane e ricco, Margherita perduta eternamente per lui!

Depose il gattino per terra, e fuggì, si chiuse nella sua cameretta, s'affacciò alla finestra. Gli pareva di soffocare. Non era stato mai geloso, né aveva mai pensato che Margherita potesse sposarsi così presto.

– No, no, – pensava, stringendo e scuotendo la testa fra le mani, – non si deve sposare. Bisogna che aspetti, finché... Ma perché dovrebbe aspettare? Io sono un bastardo, io sono il figlio d'una donna perduta. Io non ho altra missione che quella di cercare mia madre e di ritrarla dall'abisso del disonore... Margherita non può abbassarsi a me; ma finché non avrò compiuto la mia missione ho bisogno di lei come di un faro. *Dopo* posso morire contento.

E non pensava che la sua *missione* poteva prolungarsi indeterminatamente e senza esito; e l'idea che rinunziando alla sua *missione* avrebbe potuto sperare nell'amore di Margherita gli sembrava mostruosa.

Il pensiero di ritrovare sua madre cresceva e si sviluppava

con lui, palpitava col suo cuore, vibrava coi suoi nervi, scorreva col suo sangue; solo la morte poteva sradicarlo, questo pensiero, ed appunto alla morte di sua madre egli pensava quando desiderava che il loro incontro non si avverasse; ma anche questa soluzione, o il desiderio di questa soluzione, gli sembrava una grande viltà.

Più tardi egli si domandò se era stata la sua natura sentimentale a creargli il pensiero della sua *missione*, o se questo pensiero aveva formato la sua natura sentimentale: ma alla vigilia della sua partenza egli accettava ancora le sue sensazioni ed i suoi sentimenti senza analizzarli; ed accettandoli così, come da bambino, non faceva che meglio radicarli nella sua anima e nella sua carne, in modo che nessuna logica e nessun ragionamento cosciente avrebbero poi potuto strapparglieli.

Passò una notte febbrile. Ah, era già lontano il tempo quando egli si contentava di veder Margherita nei piccoli viali dell'orto, senza badare al colore dei suoi capelli e alla forma del suo busto. Allora egli sognava cose fantastiche, rapimenti, incontri, fughe in luoghi misteriosi, magari nelle bianche pianure della luna; ma se gli avessero dato la notizia delle nozze di lei non avrebbe sofferto. Una volta aveva progettato di convincerla a seguirlo su una montagna; là si avvelenavano, d'un veleno che non deformava i cadaveri; si stendevano sulle roccie, fra l'edera ed i fiori, e morivano assieme: ed in questo sogno non s'era delineato neppure il desiderio di un bacio o di una stretta di mano.

Ma dopo era venuto il sogno idilliaco della fontana di Fonni, il bacio, l'abbandono di Margherita; e durante la sera della rappresentazione, il profumo dei capelli di lei, lo splendore dei suoi occhi, il calore che pareva emanasse dalla sua persona fiorente gli avevano dato ebbrezze ineffabili.

Ed ora soffriva al pensiero che ella potesse diventare d'altri;

e nel sonno febbrile si affannava, sognando, a scriverle una lettera disperata, alla quale univa un sonetto, uno dei molti sonetti dialettali che egli aveva già composto per lei.

Si svegliò, s'alzò ed aprì la finestra. L'alba gli parve vicina; il cielo era limpido, sopra una guglia nera dell'Orthobene tremolava una stella rossastra, simile ad una fiammella su un candelabro di pietra; i galli cantavano, rispondendosi l'un l'altro con una gara di gridi rauchi, e parevano indispettiti reciprocamente di ciò che gridavano e tutti contro la luce che non arrivava. Anania guardava il cielo e sbadigliava: ad un tratto un brivido di freddo lo investì dai piedi alla testa. Oh, Dio, che accadeva in lui? Gli pareva che qualche cosa volesse staccarglisi dall'anima, restare sotto quel cielo, davanti al monte selvaggio le cui creste servivano da candelabri alle stelle. Come il viandante oppresso da un carico troppo grave vuol liberarsene in parte onde poter continuare la sua strada, così egli sentiva il bisogno di lasciare un po' del suo segreto a Margherita. Chiuse la finestra e sedette davanti al tavolino, tremando e sbadigliando.

– Che freddo! – disse a voce alta.

Il sonetto che egli voleva mandare a Margherita era già copiato a stampatello, su un foglio di carta rosea rigata trasversalmente di viola: eccone la traduzione in prosa:

« Una bellissima margherita cresceva in un verde prato. Tutti i fiori l'ammiravano, ma specialmente un ranuncolo pallido ed umile, cresciutole accanto, moriva di amore per lei. Ed ecco, in una splendida giornata di primavera, una bellissima fanciulla andava a passeggiare nel prato, coglieva la margherita, la baciava, la poneva sul morbido seno, mentre senza avvedersene schiacciava l'infelice ranuncolo che, d'altronde, privato dell'adorata vicina, si sentiva beato di morire. »

Rileggendo i versi il poeta provò una tristezza dispettosa;

vedeva, al posto della simbolica fanciulla, un capitano dei carabinieri dai baffi provocanti; ripiegò il foglio, ma restò a lungo
indeciso se doveva chiuderlo o no nella busta. Che avrebbe
pensato Margherita? Avrebbe ricevuto lei il sonetto? Sì, perché quando il postino batteva al portone tre colpi terribili che
parevano picchiati dalla ferrea mano del destino, Margherita
correva lei a ricever la posta. Bisognava però che ella fosse in
casa nelle ore in cui passava il postino, cioè verso mezzogiorno
ed a sera. A mezzogiorno ella certamente era in casa; occorreva
dunque impostar subito il sonetto.

Un'agitazione febbrile invase Anania; senza esitare oltre
uscì e camminò come un sonnambulo per le straducole buie
e deserte. Dietro i muri dei cortili, nelle rozze tettoie delle
case paesane, i galli continuavano i loro canti dispettosi; l'aria
umida odorava di stoppia; una povera infornatrice di pane
d'orzo, che tornava dal compiere il suo faticoso mestiere, attraversò una viuzza; il passo di due alti carabinieri risuonò sinistramente sul lastrico del Corso: poi più nessuno, più nulla.

Anania rasentava i muri, pauroso d'esser riconosciuto nonostante il buio, e appena impostata la lettera si mise a correre. Ma non poté rientrare in casa; gli pareva di soffocare, aveva
bisogno d'aria, di immensità. Scese verso lo stradale di Orosei,
risalì il ciglione, e solo quando si trovò ai piedi dell'Orthobene
respirò, aprendo le narici come un puledro sfuggito al laccio.
Avrebbe voluto gridare di gioia e di spasimo. Albeggiava; te-
nui veli azzurrognoli coprivano le grandi valli umide, le ultime
stelle svanivano. Non sapeva perché, Anania ripeteva i versi:

Care stelle dell'Orsa, io non credea...

e cercava di ricacciare da sé il pensiero di ciò che aveva fatto,
mentre se ne sentiva felice fino allo spasimo.

Prese a salire l'Orthobene, strappando fronde, ciuffi d'erba, lanciando pietre e ridendo; pareva pazzo. I cespugli odoravano, il cielo dietro l'enorme scoglio cerulo di monte Albo diventava in color di ciclamino; Anania si fermò su una roccia, guardò l'immensa chiostra azzurra delle montagne lontane battute dal riflesso delicato dell'aurora, e ridiventò pensieroso.

Addio! Domani egli sarebbe al di là delle montagne, e Margherita penserebbe invano all'ignoto ranuncolo che l'amava e che era lui.

Ed ecco, una cinzia cantò nel suo nido selvaggio, nel cuore d'un elce, e nella sua nota tremolò tutta la poesia del luogo solitario; Anania ricordò allora il canto di un altro uccellino entro l'umido fogliame d'un castagno, in una lontana mattina d'autunno, lassù, lassù, in una di quelle montagne dell'orizzonte, e rivide un bimbo che scendeva lieto la china, ignaro del proprio triste destino.

– Anche adesso, – pensò rattristandosi, – anche adesso sono lieto di partire, e chissà invece che cosa mi aspetta!

*
**

Rientrò a casa pallido e triste.

– Ma dove sei stato, *galanu meu?* [18] Perche sei uscito prima dell'alba? – chiese zia Tatàna.

– Datemi il caffè! – diss'egli, aspro.

– Ecco il caffè, ma che cosa hai, cuoricino amato? Sei pallido; rimettiti, riprendi colore prima di recarti dal padrino. Come? Scuoti il capo? Non andrai stamattina dal padrino? Cosa guardi? C'è qualche formica nel caffè?

Egli guardava fisso la piccola scodella rossa filettata d'oro, che serviva esclusivamente per lui: addio piccola scodella;

18　*Galanu meu*: Bello mio.

ancora domani e poi addio. Le lagrime gli salivano agli occhi.

– Andrò più tardi dal padrino; ora finisco di preparare la roba, – disse piano piano, come parlando alla scodella.

– E se non ci rivedessimo più? – chiese poi alla donna. – S'io dovessi morire prima del ritorno? E forse sarebbe meglio... Perché dobbiamo vivere a lungo? Giacché si deve morire è meglio morir presto.

Zia Tatàna lo guardò; fece un segno di croce per aria, e disse:

– Tu hai fatto cattivi sogni, stanotte? Perché parli così, agnellino senza lana? Ti fa male il capo?

– Voi non capite niente! – proruppe egli, balzando in piedi.

Entrò nella sua cameretta e cominciò a riporre in una piccola valigia i libri e gli oggetti più cari; e di tanto in tanto volgeva gli occhi alla finestra aperta, nel cui sfondo si scorgeva un lembo di cielo autunnale che pareva una tela graziosamente dipinta: una pianura bianchiccia con un laghetto azzurro.

Che avrebbe egli veduto dalla finestra della cameretta che l'aspettava a Cagliari? Il mare? Il mare vero, le lontananze infinite dell'acqua azzurra sotto le infinite lontananze del cielo azzurro? Tutto quell'azzurro, veduto e desiderato, lo rasserenò: si pentì d'aver contristato zia Tatàna, ma che poteva farci? Sì, egli sentiva d'essere ingrato, ma i nervi son nervi e non si può loro comandare. Però egli non vuole essere completamente ingrato, no! Lascia la valigia, i libri, le scatole, si precipita in cucina, dove la buona donna scopa con aria tra melanconica e filosofica, forse pensando alle parole funebri dell'«agnellino senza lana», le va sopra, stringe lei e la scopa in uno stesso abbraccio, e le trascina in un giro vorticoso di ballo.

– Ah, cattiva lana, che cosa c'è? – grida la vecchia, palpitando di gioia; ma sul più bello Anania scappa, correndo e imitando lo sbuffare del treno.

Chiusa la valigia egli andò a congedarsi dai vicini di casa, cominciando da Maestro Pane. La bottega del vecchio falegname, di solito piena di gente, era deserta, e lo studente dovette attendere alquanto, seduto sullo scalino interno della porta, coi piedi fra gli abbondanti trucioli che coprivano il pavimento. Un leggero soffio di vento entrava per la porta, agitando le grandi ragnatele del tetto, cosparse di fili di segatura.

Finalmente Maestro Pane arrivò: indossava una vecchia tunica da soldato, della quale curava molto i bottoni lucidissimi, e sorrise con infantile compiacenza quando Anania gli disse che sembrava un generale.

– Ho anche il kepì! – disse con serietà. – Vorrei metterlo, ma i ragazzi ridono. E così tu parti, caro bambino? Dio ti accompagni e ti aiuti. Io non ho niente da regalarti!

– Ma vi pare, Maestro Pane?

– Il cuore non manca, ma il cuore non basta! Ebbene, io ti farò una scrivania quando sarai dottore: ho già il modello, vedi?

Cercò un catalogo di mobili, gelosamente nascosto sotto il banco, e fece vedere allo studente una splendida scrivania a colonnine e trafori.

– Ti pare impossibile? – disse, risentito, accorgendosi che Anania sorrideva. – Tu non conosci Maestro Pane! Io non ho mai lavorato mobili preziosi e fini perché non avevo fondi, ma sarei buono...

– Lo credo, lo credo, Maestro Pà! Ed io, quando sarò dottore e ricco, vi farò eseguire tutti i mobili del mio palazzo...

– Davvero? e quanti anni ci vorranno ancora?

– Eh, chi lo sa? Dieci, quindici...

– Troppo! Sarò in cielo, allora, nella bottega di San Giuseppe glorioso (nonostante lo scherzo si fece devotamente il segno della croce). E, dimmi, – riprese, fissando una pagina del catalogo, – cosa vuol dire mobili al-la-Lui-gi-de-ci-mo-quin-to?

– Era un re... – cominciò Anania.

– Questo lo so, – rispose vivacemente Maestro Pane, con un malizioso sorriso sulla gran bocca sdentata, – era un re al quale piacevano le ragazzine...

– Maestro Pane, – gridò Anania, strabiliato, – come sapete ciò?

Il vecchietto cominciò a ridere, togliendosi la giubba e piegandola accuratamente.

– Ebbene, – disse, fingendo un ingenuo stupore per non turbare oltre l'innocenza di Anania, – perché siamo ignoranti non dobbiamo saper nulla? A quel re piaceva giocare e divertirsi coi bambini, come alla regina Ester piaceva andar pei campi a cogliere spighe, ed a Vittorio Emanuele zappare l'orto...

Ma Anania la sapeva più lunga di Maestro Pane, e chiese anche lui con finta ingenuità:

– Avete dunque studiato, voi?

– Io? Avrei voluto, ma non ho potuto; fiore mio, non tutti nascono sotto una buona stella come te.

– E dunque, come sapete queste storie?

– Si raccontano, diavolo! La storia della Regina Ester l'ho udita da tua madre, e quella del Re da Pera *Sa Gattu*...

Anania andò via inorridito, ricordando una storiella raccontata molti anni prima da Nanna, una sera d'inverno, nel molino delle olive...

Bussò alla porticina chiusa di Nanna, ma il vecchio pazzo, seduto su una pietra, disse che la donna non c'era.

– L'aspetto anch'io, – aggiunse, – perché Gesù Cristo ieri sera mi disse che ha bisogno d'una serva.

– Dove l'avete incontrato?

– Nel viottolo... laggiù, – indicò il pazzo; – aveva un cappotto lungo e le scarpe rotte. Ebbene, perché tu non mi dai un paio di scarpe vecchie, Anania Atonzu?

– Vi starebbero strette, – disse lo studente, guardandosi i piedi.

– E perché non vai scalzo, che una palla ti trapassi la milza? – chiese minaccioso il pazzo, corrugando le irte sopracciglia grigie.

– Addio, – disse Anania, senza rispondere alla minacciosa domanda, – io parto per gli studi.

Gli occhioni azzurri del vecchio presero una espressione maliziosa.

– Tu vai ad Iglesias?

– No, a Cagliari.

– Ad Iglesias ci sono i vampiri e le faine. Addio, dunque: toccami la mano. Così, bravo; non aver paura, non ti mangio. E tua madre dove si trova ora?

– Addio, state bene, – disse Anania, ritirando la sua piccola mano dalla manaccia dura del pazzo.

– Anch'io devo partire, – annunziò il vecchio. – Andrò in un luogo dove si mangiano sempre cose buone: fave, lardo, lenticchie, viscere di pecora.

– Buon pro vi faccia!

– Eh! – gridò il pazzo, quando lo studente si fu allontanato. – Bada alle coreggie gialle! E scrivimi.

Anania si congedò dagli altri vicini, ed anche dalla donna mendicante, che lo ricevette in una cameretta discretamente pulita e gli offrì una tazza di buonissimo caffè.

– Tu andrai anche da Rebecca? – gli domandò, con invidia. – Quella stupida si è data a mendicare, adesso! Non è una vergogna, una ragazza come lei? Diglielo, dunque!

– È piagata! può appena camminare...

– No, è guarita. Cosa guardi lassù? È una falce da mietitore.

– Perché sta appesa sulla porta?

– Per il vampiro, che quando penetra di notte nella camera

si ferma a contare i denti della falce, e siccome non arriva che al sette ricomincia sempre. Così arriva l'alba, e appena vede la luce il vampiro fugge. Tu ridi? Eppure è vero. Che Dio ti benedica, – disse poi la mendicante, accompagnandolo fin sulla strada. – Buon viaggio; e fa onore al vicinato.

Anania entrò da Rebecca: ella pareva ancora una bambina, sebbene avesse più di venti anni, livida, calva, accoccolata nel suo buco nero come una fiera malata nella sua tana. Vedendo lo studente arrossì, e tutta tremante gli offrì, su un primitivo vassoio di sughero, un grappolo d'uva nera.

– Lo prenda, dunque... – balbettò. – Non ho altro...

– E dammi dunque del tu! – esclamò Anania, strappando un acino dal grappolo.

– Non ne sono degna! Io non sono Margherita Carboni; sono una povera immondezza! – rispose animandosi la fanciulla. – Lo prenda dunque questo grappolo! È pulito; io non l'ho neppure toccato! Me lo portò zio Pera *Sa Gattu*.

– Zio Pera? – chiese Anania, ricordando con disgusto la storiella di Maestro Pane.

– Sì, poveretto! Egli si ricorda sempre di me, e tutti i giorni mi porta qualche cosa: il mese scorso sono stata malata perché mi si sono riaperte le piaghe, e zio Pera fece venire il medico e portò le medicine. Ah, egli fa per me ciò che farebbe mio padre se... Ma egli mi ha abbandonato! Basta! – disse poi Rebecca, accorgendosi di aver toccato un tasto doloroso per Anania. – Lei dunque non vuole il grappolo? È pulito, però.

– E dallo qui! Ma dove lo metto? Aspetta: lo avvolgo in questo giornale. Io dunque parto, sai. Vado a Cagliari per gli studi. Arrivederci; sta bene e curati.

– Addio! – diss'ella, con gli occhi pieni di lagrime. – Anch'io vorrei partire!

Anania uscì e vedendo sulla porta della bettola la bella Agata si avvicinò per congedarsi anche da lei.

Appena lo scorse, la ragazza cominciò a sorridergli, con gli occhioni lucenti, ed a fargli segni d'addio con la mano.

– Tu facevi all'amore con quel mucchietto di marcia? – chiese accennando Rebecca affacciatasi alla porta. – Allontanati, che puzzi orribilmente.

Anania fece un gesto di raccapriccio, pensando istintivamente a Margherita.

– Eppure, – proseguì l'altra, ridendo e guardandolo languidamente, – essa è gelosa di me. Osserva come guarda! Stupida! Ella pensa sempre a te perché l'ultima notte dell'anno scorso, quando sorteggiammo gli innamorati, il tuo nome venne fuori assieme col suo!

– Lo so, dunque! Finiscila! – diss'egli infastidito. – Io parto domani; addio. Desideri qualche cosa?

– Prendimi con te! – ella propose con ardore.

Un pastore, che aveva finito di sorseggiare un calice d'acquavite, uscì dalla bettola e pizzicò la fanciulla.

– *Sas manos siccas*,[19] lepre pelata! – gridò Agata; poi attirò Anania entro la bettola e gli chiese che cosa desiderava bere.

– Niente, addio, addio.

Ma Agata gli versò un calice di vino bianco, e mentre egli beveva, ella, appoggiatasi languidamente al banco, guardava fuori e diceva:

– Anch'io verrò presto a Cagliari; appena avrò un costume nuovo e i bottoni d'oro per la camicia, verrò a Cagliari e cercherò servizio. Così ci rivedremo... Oh, diavolo, ecco che viene Antonino; egli mi vuole in isposa ed è molto geloso di te. Ah, gioiello mio, addio, vattene...

---

19 *Sas manos siccas*: Ti si rattrappiscano le mani.

Dicendo così si gettò su lui con uno slancio felino e lo baciò sulla bocca; poi lo spinse ad uscire, ed egli andò via sbalordito e turbato; e incontrando Antonino capì finalmente perché costui lo guardava con odio.

Per qualche minuto camminò senza avvedersi dove andava: gli pareva d'aver baciato Margherita e il desiderio di vederla lo rendeva fremente.

– Ah, – gridò ad un tratto, trovandosi fra le braccia d'una donna.

– Figliuolino del mio cuore, – disse Nanna, piangendo comicamente e porgendogli un involtino, – tu dunque parti? Il Signore ti accompagni e ti benedica come benedice la spiga del frumento. Noi ci rivedremo ancora, ma intanto ecco... non rifiutare, sai, perché io ne morrei di dolore...

Per impedire la morte di Nanna egli prese l'involtino; poi trasalì sentendo sulla sua guancia qualcosa di viscido e un pestilenziale soffio di acquavite.

– Ebbene, – balbettò Nanna, dopo averlo baciato, – non ho potuto resistere. Pulisciti la guancia: no, essa non deve restar macchiata pei baci odorosi come garofani, delle fanciulle d'oro che ti raccatteranno come un confetto.

Anania non protestò, ma quel terribile urto con la realtà lo rimise in equilibrio, cancellando la sensazione ardente del bacio d'Agata. Rientrato a casa svolse l'involtino e trovò tredici soldi che cominciò a far risonare fra le mani.

– Sei stato dal padrino? – chiese zia Tatàna.

– Andrò fra poco, dopo mangiato.

Ma appena mangiato uscì nel cortile e si sdraiò sopra una stuoia, sotto il sambuco. L'aria era tiepida; attraverso i rami Anania vedeva grandi nuvole bianche passare sul cielo turchino; egli guardava e sentiva una dolcezza infinita calare da quelle nuvole; pareva una pioggia di latte tiepido. Ricordi lontani, erranti e cangianti come le nuvole, gli sfioravano la mente, confusi con le impressioni recenti. Ecco, egli rivede il paesaggio melanconico vigilato dai pini sonori, dove suo padre ara la terra per seminare il frumento del padrone. I pini hanno un rombo che pare la voce del mare; il cielo è profondamente e tristemente azzurro. Anania ricorda due versi... «I suoi occhi sono azzurri, vuoti e profondi come il cielo». Gli occhi di Margherita? No; egli offende Margherita pensando così; ma intanto è felice di ripetere versi così originali... «I suoi occhi sono azzurri, profondi e vuoti come il cielo».

Chi passa dietro il pino? Il portalettere dai baffi rossi: una cornacchia, con le ali aperte, batte forte il becco sulla fronte del povero uomo. Dun, dun, dun! Margherita corre ad aprire, prende la lettera rosea a fili verdi, e comincia a volare. Anania vorrebbe seguirla, ma non può: non può muoversi, non può parlare; ecco però il portalettere che si avvicina e lo scuote...

— Sono le tre, figlio mio; quando dunque andrai dal padrino? – chiese zia Tatàna, scuotendolo.

Egli balzò in piedi con un occhio chiuso e l'altro aperto, una guancia pallida e rossa l'altra.

— Che sonno! – disse stirandosi. – È che stanotte non ho dormito per niente. Ora vado.

Andò a lavarsi, si pettinò, perdette mezz'ora a farsi la scriminatura da una parte, poi nel mezzo, poi a farla scomparire del tutto. Il cuore gli batteva con angoscia.

«Che è questo? Che diavolo ho?» pensava, e voleva dominarsi ma non ci riusciva.

— Sei ancora lì? quando dunque andrai? – gridò la vecchia dal cortile.

Egli si affacciò alla finestra.

— Cosa dunque gli dirò?

— Che parti domani; che farai da bravo; che sarai sempre

un figlio rispettoso.

– Amen! E lui cosa mi dirà?

– Ti darà dei buoni consigli.

– Non mi parlerà di quella cosa...

– Di quale cosa?

– Dei denari! – diss'egli, abbassando la voce e portandosi le mani alla bocca.

– Oh, benedetto! – rispose la vecchia sollevando le braccia. – Che ci hai da veder tu? Tu non sai nulla!

– E allora vado...

Ma invece andò da Bustianeddu, poi nell'orto per congedarsi da zio Pera ed anche dai fichi d'India, dai cardi, dal panorama, dall'orizzonte... Trovò il vecchio sdraiato sull'erba col randello posato anch'esso sull'erba con attitudine di riposo.

– Dunque parto zio Pera, addio: state bene e divertitevi!

– Eh? – chiese il vecchio, che diventava sordo e cieco.

– Parto! – gridò Anania. – Vado a Cagliari per studiare...

– Il mare? Sì, a Cagliari c'è il mare. Dio ti accompagni e ti benedica, figlio mio. Il vecchio zio Pera non ha nulla da darti, ma pregherà per te...

– Avete niente da comandarmi? – chiese Anania, curvandosi, con le mani sulle ginocchia.

Il vecchio si sollevò, lo guardò fisso e sorrise:

– Che vuoi che ti comandi? Anch'io devo partire!

– Anche voi? – esclamò lo studente, sorridendo per la smania che tutti, anche i vecchi decrepiti, avevano di partire.

– Anch'io.

– E per dove, zio Pera?

– Ah, per un paese lontano! – disse il vecchio stendendo la mano verso l'orizzonte. – Per l'Eternità!

*
**

Soltanto sul tardi, dopo esser passato e ripassato sotto le finestre di Margherita senza poter scorgere la fanciulla, Anania entrò e chiese del padrino.

– Non c'è nessuno in casa. Se attendi rientreranno fra poco, – disse la serva con arroganza. – Perché non sei venuto prima?

– Perché faccio quel che mi pare e piace, – diss'egli entrando.

– È giusto, meglio perdere il tempo con quella schifosa d'Agata che venire a riverire i benefattori.

– Auff! – egli sbuffò, appoggiandosi alla finestra dello studio. Ah, la serva lo umiliava come in quella notte lontana quando egli con Bustianeddu eran venuti per chiedere una scodella di brodo: nulla era cambiato; egli era sempre un servo, un beneficato. Lagrime di rabbia gli inumidirono gli occhi.

«Ma io sono un uomo!» pensò. «Posso rinunziare a tutto, lavorare la terra, fare il soldato, ma non esser vile. Ora me ne vado».

E si staccò dalla finestra, ma sfiorando la scrivania già illuminata dalla luna, scorse fra le carte buttate su alla rinfusa una busta rosea a righe verdi.

Il sangue gli salì al capo; le orecchie gli arsero, percosse da una vibrazione metallica; incoscientemente si curvò e prese la busta.

Sì, era *quella*, squarciata e vuota. Gli parve di toccare la spoglia di una cosa per lui sacra, ch'era stata violata; ah, tutto, tutto era finito per lui, l'anima sua era vuota e sbranata come quella busta.

D'un tratto una viva luce inondò la stanza; egli vide Margherita entrare, ed ebbe appena il tempo di lasciar cadere la busta, ma si accorse che la fanciulla aveva indovinato il suo atto, ed una viva vergogna si unì al suo dolore.

– Buona sera, – disse Margherita deponendo il lume sulla scrivania, – ti hanno lasciato al buio.

– Buona sera, – egli mormorò, deciso a spiegarsi e poi fuggire e non lasciarsi vedere mai più.

– Siedi.

Egli la fissava con occhi attoniti; sì, quella era Margherita, ma in quel momento egli la odiava.

– Scusa, – cominciò a balbettare. – Non l'ho fatto apposta, non sono un vile, io, ma ho veduta quella... questa busta, – la toccò col dito, – e non ho potuto... L'ho guardata...

– È tua?

– È mia.

Margherita arrossì e si confuse, mentre Anania, come liberato da un peso, cominciava a distinguere le cose e a ragionare. Il suo orgoglio, offeso dalla vergogna patita, lo consigliava a dire che l'invio del sonetto era stato uno scherzo; ma Margherita, nel suo vestito da passeggio, con la vita stretta da un nastro verde lucente, era così bella e pura che mentire con lei sarebbe stato come mentire con un angelo! Anania avrebbe voluto spegnere il lume e restare al chiaro di luna, solo con lei, e caderle ai piedi, e chiamarla coi più dolci nomi; ma non poteva, non poteva, sebbene s'accorgesse che anche lei sollevava e abbassava gli occhi con delizioso terrore, in attesa del suo grido d'amore.

– Ha letto, tuo padre? – egli chiese a bassa voce.

– Sì, ha letto; e rideva, – ella rispose, commossa.

– Rideva?

– Sì, rideva. Alla fine mi diede il foglio e disse: «chi diavolo sarà?»

– E tu? E tu?

– Ed io...

Essi parlavano piano, ansiosi, già avviluppati dal mistero di una complicità deliziosa; ma improvvisamente Margherita cambiò voce ed aspetto.

– Oh, ecco papà. C'è Anania! – esclamò correndo verso l'uscio; e uscì rapidamente, mentre Anania ricadeva nel massimo turbamento. Egli sentì la mano calda e molle del padrino stringere la sua, e vide gli occhi azzurri e la catena d'oro scintillare, ma non ricordò mai precisamente i buoni consigli e le barzellette che il padre di Margherita quella sera gli prodigò.

Un dubbio amaro lo tormentava. Aveva o no capito Margherita il vero significato del sonetto? E che ne pensava? Ella non aveva detto nulla a proposito, nei preziosi istanti che egli s'era così stupidamente lasciato sfuggire. L'aspetto turbato di lei non gli bastava; no; ed egli voleva sapere di più, voleva sapere tutto...

– Che cosa? – si domandò con tristezza. – Niente. Era tutto inutile. Anche se ella aveva capito, anche se ella gli voleva bene... Ma questa era una stupidaggine. Eppoi tutto era inutile! Un vuoto immenso lo circondava, e in questo vuoto la voce del signor Carboni si perdeva senza essere ascoltata, come in un abisso deserto.

– Sta lieto e non pensare ad altro che a studiare! – concluse il padrino, vedendo che Anania sospirava. – Allegro dunque! Sii uomo e fatti onore!

Margherita rientrò accompagnata dalla madre, che prodigò allo studente la sua parte di consigli e d'incoraggiamenti. La fanciulla andava e veniva per la stanza; s'era ravviata i capelli in modo civettuolo, lasciando un ciuffetto sulla tempia sinistra, e, quel che più importa, s'era incipriata. I suoi occhi scintillavano; era bellissima, ed Anania la seguiva con uno sguardo delirante, ripensando al bacio di Agata. Come attirata dal fascino di quello sguardo, quando egli andò via ella lo seguì e lo accompagnò fino al portone. La luna illuminava il cortile, come in quella sera lontana, quando la visione altera eppur soave di lei aveva destato nel bimbo la coscienza del dovere: anche adesso ella appariva altera e soave, e camminava leggera, con un fruscio d'ali, pronta a volare: ed Anania credeva ancora di sognare, di vederla sollevarsi davvero e sparire nell'infinito, e di non poterla raggiungere mai più; e il desiderio di stringerle la vita sottile, cinta dal nastro lucente, gli dava le vertigini.

«Non la vedrò più! Cadrò morto appena ella avrà chiuso il portone,» pensò, quando giunsero al limite fatale.

Margherita tirò il catenaccio, poi si volse e porse la mano allo studente. Era pallidissima.

– Addio... Ti scriverò... Anania...

– Addio, – egli disse, tremando di gioia; ma invece di andarsene si ritrasse nell'ombra e attirò a sé Margherita.

E parve ad entrambi che il contatto delle loro labbra facesse scoppiare qualche cosa di terribile e di grandioso nell'aria, perché, mentre si baciavano perdutamente, sentirono come il rombo e l'ardore e la luce del fulmine.

CAPITOLO VIII

A Cagliari Anania frequentò il Liceo e per due anni l'Università: studiava leggi.

Quegli anni furono come un intermezzo, nella sua vita; un intermezzo pieno di dolcezza e di armonia.

Già in treno, mentre attraversava i solitari paesaggi sardi resi più tristi dall'autunno egli sentiva una nuova vita. Gli pareva di esser un altro; di aver cambiato vestito, smettendone uno lacero e stretto per uno nuovo, soffice e comodo. Era il bacio di Margherita che lo rendeva felice, o l'addio a tutte le piccole e misere cose del passato, o la gioia un po' paurosa della libertà, o il pensiero del mondo ignoto verso cui correva?

Egli non sapeva, né cercava sapere.

Un'ebbrezza profonda, fatta di orgoglio e di voluttà, lo avvolgeva come un vapore odoroso, attraverso il cui velo egli intravedeva orizzonti mai prima sognati. Come era bella e facile la vita! Egli si sentiva forte, bello, vittorioso: tutte le donne lo amavano, tutte le porte della vita si aprivano davanti a lui.

Lungo il viaggio da Nuoro a Macomer stette sempre sul terrazzino del vagone, scosso fortemente dall'urto dispettoso del piccolo treno. Poca gente saliva o scendeva nelle stazioni desolate, e le acacie, lungo la linea, pareva aspettassero il treno per gettargli contro nembi di foglioline gialle.

– Ecco, – dicevano le acacie al treno, – prendi, piccolo mostro dispettoso: noi stiamo sempre ferme e tu cammini. Che cosa pretendi di più?

– Sì, – pensava lo studente, – la vita è nel moto.

E gli pareva di sentire la forza gioconda dell'acqua agitata, mentre fino a quel giorno la sua anima era stata una piccola palude con le sponde soffocate da erbe fetide. Sì, le acacie smarrite nelle immote solitudini sarde avevano ragione: sì, muoversi, andare, correre vertiginosamente, questa era la vita.

Eppure!... passando sotto un *nuraghe* nero su un'alta roccia, simile ad un nido d'uccelli giganteschi, Anania desiderò di trovarsi lassù con Margherita, soli tra le rovine e i ricordi che spiravano col selvaggio odor del lentischio; soli, suggestionati da ombre e da fantasmi di età epiche. Ah, come si sentiva grande!

Ma ecco che le cerule montagne della Barbagia natia svaniscono all'orizzonte: una sola cresta dell'Orthobene appare ancora, dietro altre cime, violacea sul cielo pallido; ancora un lembo, una punta, una pietra... più niente. Anche i monti tramontano come il sole e la luna, lasciando un triste crepuscolo nell'anima di chi si allontana dal paese natio.

Addio, addio. Anania si sentì triste, ma per scuotersi pensò intensamente al bacio di Margherita, il cui ricordo, del resto, non lo abbandonava un istante.

A momenti però trasaliva. Non era stato tutto un sogno? Se ella dimenticava o si pentiva? Ma subito l'orgoglio gli ridonava la speranza.

La sua ebbrezza durò parecchi giorni, finché durò lo stordimento della nuova esistenza.

Tutte le cose gli andavano a seconda; appena arrivato a Cagliari trovò una bellissima camera con due balconi, da uno dei quali si godeva un paesaggio chiuso da colline e dal mare luminoso, talvolta così calmo che i piroscafi ed i velieri si disegnavano come incisi sull'acciaio, e dall'altro il panorama della rosea città, che coi suoi bastioni, il suo Castello, i palmizi, i giardini, rassomigliava ad una città moresca.

Di fronte al palazzo nuovo dove egli abitava, sorgeva una fila di casette antiche ritinte di rosa, con balconi spagnuoli pieni di garofani e di stracci stesi ad asciugare al sole; ma egli non guardava laggiù; i suoi occhi ammaliati correvano sullo stupendo scenario della città, e si fermarono sulla linea dei bastioni e dei palazzi medioevali che chiudevano l'orizzonte grandioso. Tutto lassù era leggenda e poesia.

Agli ultimi di ottobre faceva ancora caldo: l'aria odorava di alghe e di fiori; e le signore che passavano sotto il balcone d'Anania vestivano di mussolina e di stoffe leggere. Allo studente pareva di essere in un paese incantato, e l'aria fragrante e snervante, e le comodità nuove della sua camera, e le dolcezze della nuova vita, gli davano un senso di mollezza e di languore. Fu preso da una specie di sonnolenza voluttuosa: tutto gli sembrava bello e grande; e ricordando il molino e le sudice figure che vi si raccoglievano, si domandava come aveva potuto per tanto tempo vivere laggiù. La vita umile del povero vicinato proseguiva certamente il suo corso melanconico, mentre qui, nei caffè lucenti, nelle vie luminose, nelle alte case battute dal sole, dal riflesso del mare, tutto era luce, gioia, poesia.

L'arrivo della prima lettera di Margherita accrebbe la sua gioia di vivere: era una lettera semplice e tenera, scritta su un gran foglio bianco, con caratteri rotondi, quasi maschili. Veramente Anania si aspettava una letterina azzurra, con un fiore dentro; e sul principio gli parve che Margherita volesse fargli sentire la sua superiorità e volesse dominarlo; ma poi, dalle espressioni semplici e affettuose della fanciulla, che pareva continuasse con quella lettera una lunga e ininterrotta corrispondenza, s'accorse che ella lo amava sinceramente, con ingenuità e con forza, e ne provò una dolcezza inesprimibile.

Ella gli scriveva: « ogni sera sto lunghe ore alla finestra, e mi sembra che tu debba da un momento all'altro passare, come usavi prima di partire; mi dispiace molto la nostra lontananza, ma mi conforto pensando che tu studi e prepari il nostro avvenire. »

Poi gli indicava dove indirizzare la risposta, e lo pregava del più gran segreto, perché naturalmente la famiglia di lei, venendo a sapere del loro amore, vi si sarebbe opposta.

Anania rispose subito tutto vibrante d'amore e di felicità, sebbene un tantino oppresso dal rimorso di tradire il suo benefattore. Però sofisticava già:

— Se amandola io rendo felice la figlia, non faccio male al padre...

Le descrisse le meraviglie della città e della stagione.

« Mentre scrivo sento le rane gracidare ancora negli orti lontani, e vedo la luna salire come un volto d'alabastro sul cielo verdognolo del crepuscolo tiepido. È la stessa luna che vedevo salire sul solitario orizzonte nuorese, è lo stesso viso rotondo e melanconico che vedevo affacciarsi sopra le roccie dell'Orthobene, ma come ora mi sembra più dolce, diverso, quasi sorridente! »

E di nuovo, appena impostata questa prima epistola, egli sentì un impetuoso desiderio di correre all'aperto, e salì sul colle di Bonaria.

Una dolcezza orientale calava con la sera splendida; il viale che conduce al Santuario era deserto, e la luna cominciava a brillare attraverso gli alberi immobili: il cielo di un azzurro verdastro prendeva, sopra la linea madreperlacea del mare, una tinta d'un verde inverosimile, e nuvole rosse e violette lo solcavano.

Pareva un sogno.

Anania si fermò davanti al Santuario, e guardò il mare: le

onde riflettevano la luminosità del cielo, delle nuvole colorate
e della luna, e venivano ad infrangersi sotto il colle, come
enormi conchiglie di madreperla che arrivate alla riva si scio-
glievano in liquido argento. E le barche veliere, allineate sullo
sfondo luminoso, parevano ad Anania immense farfalle scese
a riposarsi sull'acqua.

Mai egli si sentì felice come in quell'ora: gli pareva che la
sua anima fosse luminosa come il cielo, grande come il mare.

Al bagliore della luna e dell'estremo crepuscolo decifrò
qualche frase della lettera di Margherita; poi baciò il foglio,
ed a malincuore si decise a ritornare in città. La luna seminava il viale di monete e disegni argentei; s'udivano ancora
le rane e i canti dei pescatori; tutto era dolcezza, ma arrivato
davanti alla sua casa, Anania udì grida, urli, strilli di donne,
e voci d'uomini che pronunziavano parole infami: si volse
e vide, davanti alle casette rosee che si scorgevano dal suo
balcone, un gruppo di persone accapigliate. Alle finestre dei
palazzi non si affacciava nessuno; pareva che gli abitanti del
quartiere fossero abituati alla scena, all'ossessione di quella
gente che si accapigliava in una mischia infernale, gridando
le più luride ingiurie che l'uomo possa pronunziare contro il
suo simile.

Davanti al giardino un grosso uomo vestito di velluto nero,
immobile alla luna, si godeva la scena con aria quasi beata.

– Ma le guardie? Perché non vengono le guardie? – gli
chiese Anania, turbato.

– Che fanno le guardie? – rispose l'uomo senza guardare
lo studente.

– Ogni settimana son qui le guardie! Spintoni di qua,
spintoni di là, tutto finisce e poi tutto ricomincia il giorno
dopo. Bisogna mandar via quelle donne, – riprese l'omone,
minacciando da lontano i rissanti. – Aspettate, ve la do io,

adesso! Aspettate che tutti abbiano firmato il ricorso alla
questura!

– Ma che cosa è?

L'omone lo guardò con disprezzo.

– Son donne perdute, dunque!

Anania rientrò a casa pallido e ansante, e la padrona si
accorse del suo turbamento.

– Ma che cosa ha? – gli disse. – Si è spaventato? Son donne allegre, coi loro... giovanotti; e si azzuffano per gelosia.
Ma le faranno andar via; abbiamo ricorso alla questura.

– Di che paese sono? – egli domandò.

– Una è cagliaritana; l'altra, credo, del Capo di Sopra.

Le urla raddoppiavano; si distingueva la voce d'una donna
che si lamentava quasi l'avessero ferita a morte... Dio, che
orrore! Anania tremava, e attratto da una forza irresistibile
corse ad aprire il balcone. In alto, sul cielo purissimo, la luna
e le stelle: in basso, ai piedi del vaporoso quadro della città,
quel gruppo di demoni, quelle grida di rabbia, quelle parole
abbominevoli... Ed Anania stette a guardare angosciosamen-
te, con l'anima oppressa da un tremendo pensiero...

*
**

– Fate che ella sia morta, Dio mio, Dio mio! Abbiate pietà
di me, Signore! – singhiozzava egli a tarda notte, tormentato
dall'insonnia e dai tristi pensieri.

L'idea che una delle due donne che abitavano le casette
rosee potesse essere sua madre era svanita, dopo le informazioni date, durante il pranzo, dalla padrona di casa; ma che
importava? Se non qui, là, in un punto ignoto ma reale, a
Cagliari, a Roma od altrove, *ella* viveva e conduceva, o aveva
condotto, una vita simile a quella delle donne che gli abitanti

di Via San Lucifero volevano scacciare dal loro quartiere.

«Perché Margherita mi ha scritto?» egli pensava, «e perché le ho risposto? *Quella donna* ci dividerà per sempre. Perché ho sognato? Domani scriverò a Margherita, le dirò tutto. Ma che posso dirle? E se *quella donna* fosse morta? Perché devo rinunziare alla felicità? Non lo sa, forse, Margherita, che io sono figlio del peccato? Se si fosse vergognata di me non mi avrebbe scritto. Sì, ma certamente ella crede che mia madre sia morta, o che per me sia come morta; mentre io sento che è viva, e non rinunzio al mio dovere, che è quello di cercarla, trovarla, trarla dal vizio... E se si è emendata? No, essa non si è emendata. Ah, è orribile; io la odio... La odio, la odio!»

Visioni truci gli attraversavano la mente: vedeva sua madre accapigliata con altre donne, con uomini luridi e bestiali, udiva grida terribili, e tremava d'odio e di disgusto.

Verso mezzanotte ebbe una crisi di lagrime; soffocò i singhiozzi mordendo il guanciale, torse le braccia, si graffiò il petto; si strappò dal collo l'amuleto datogli da Olì il giorno della loro fuga da Fonni, e lo scaraventò contro il muro: oh, così avrebbe voluto strappare e buttare lontano da sé il ricordo di sua madre! Ad un tratto si meravigliò d'aver pianto; s'alzò e cercò l'amuleto, ma non lo rimise più al collo: poi si domandò se, senza il suo amore per Margherita, avrebbe sofferto egualmente al pensiero di sua madre: si rispose di sì.

Di tanto in tanto avveniva una specie di vuoto nella sua mente; stanco di tormentarsi, allora egli vagava col pensiero dietro visioni estranee al crudele problema che lo urgeva: la voce del mare gli pareva il muggito di mille tori cozzanti invano contro la scogliera; e per contrapposto pensava ad una foresta scossa dal vento e inargentata dalla luna, e ricordava i boschi dell'Orthobene dove tante volte, mentre egli coglieva viole, il rumore del vento sugli elci gli aveva dato appunto l'illusione del mare. Ma all'improvviso il crudele problema tornava.

«...E se si fosse emendata? È lo stesso; è lo stesso. Io devo cercarla, trovarla, aiutarla. Ella mi ha abbandonato per il mio bene, perché altrimenti io non avrei avuto mai un nome, mai un posto nella società. Rimanendo con lei sarei andato a mendicare; sarei vissuto nella vergogna, forse; forse sarei diventato un ladro, un delinquente... Sì... e così come sono non è la stessa cosa? Non sono perduto lo stesso?... No, no! Non è lo stesso! Così sono figlio delle mie azioni. Però Margherita non vorrà esser mia, perché... Ma perché? ma perché? Perché non vorrà esser mia? Sono io forse disonorato? Che colpa ho io? Ella mi vuole, sì, ella mi vuole, appunto perché sono figlio delle mie azioni. Chi sa, del resto, che *quella donna* non sia morta? Ah, perché mi illudo? Essa non è morta, lo sento; è viva, è giovane ancora, quanti anni ha adesso? Trentatré anni, forse; ah, è ben giovane!»

Quest'idea lo inteneriva alquanto.

«Se ella avesse cinquant'anni non potrei perdonarle. Ma perché mi ha ella abbandonato? Se mi avesse tenuto con sé non sarebbe più caduta: io avrei lavorato, a quest'ora sarei un servo, un pastore, un operaio. Non conoscerei Margherita, non sarei infelice... Mio Dio, mio Dio, fate che ella sia morta! Ma perché faccio questa stupida preghiera? No, ella non è morta. Ma perché dovrei io cercarla? Non mi ha ella abbandonato? Io sono un pazzo, e Margherita riderebbe se sapesse ch'io combatto una così stupida lotta. Ebbene, sono io forse il primo o l'ultimo figlio della colpa, che si innalza e si fa stimare? Sì, ma *lei* è l'ombra. Io devo cercarla e farla vivere con me, e una donna onesta non vorrà mai vivere con *noi*: io e *lei* saremo la stessa persona. Domani io devo scrivere a Margherita. Domani. Se ella mi volesse egualmente?»

Questo pensiero lo colmò di dolcezza; ma subito dopo ne

sentì tutta l'assurdità e ricadde nella disperazione.

Né l'indomani né poi egli poté svelare a Margherita il segreto proposito che lo incalzava, lo sollevava e lo avviliva continuamente.

«Glielo dirò a voce,» pensava, ma sentiva che tanto meno a voce avrebbe avuto il coraggio di spiegarsi, e s'adirava per la sua viltà, ma nello stesso tempo si confortava nella vergognosa certezza che la sua viltà appunto gli avrebbe impedito di compiere quella che egli chiamava la sua *missione*. A volte, però, questa missione gli appariva così eroica che l'idea di rinunziarvi lo rattristava.

«La mia vita sarebbe inutile, come per la maggior parte degli uomini, se io rinunziassi a ciò!» pensava. Ed in quei momenti di romanticismo non gli dispiaceva la lotta fra il suo dovere terribile e il suo amore ingrandito morbosamente dalla lotta.

Dopo la sera della rissa non s'affacciò più al balcone sulla strada; la vista delle casette, dalle quali neppure i ricorsi alla questura riuscivano a snidare le triste inquiline, gli faceva male; tuttavia, rientrando a casa, egli vedeva spesso le due donne, o sul balcone, fra i garofani e gli stracci, o sedute sul limitare della porta.

Una specialmente, – quella del Capo di Sopra, – alta e snella, coi capelli nerissimi e gli occhi d'un turchino vivo, attirava la sua attenzione. Si chiamava Maria Rosa; era quasi sempre ubriaca e a giorni vestiva miseramente e girava per le strade scarmigliata, scalza o in ciabatte rosse, a giorni usciva elegantemente vestita, in cappello, in mantellina di velluto viola guarnita di piume bianche, qualche volta si metteva sul balcone, fingendo di cucire, e cantava, con voce rauca, graziosi stornelli del suo paese, interrompendosi per gridare insolenze ai passanti che la molestavano coi loro scherzi, o alle

vicine con le quali litigava continuamente perché ne seduceva
i mariti ed i figli.

La sua voce giungeva fino alla camera di Anania, ed egli
l'ascoltava con dolore.

Maria Rosa gli destava rabbia e pietà, e sebbene la sapesse
del tal paese, della tale famiglia, qualche volta egli tornava
nella folle supposizione che ella potesse essere sua madre.
Sì, dovevano per lo meno rassomigliarsi... Ah, che triste e
terribile ossessione!

Una sera poi, Maria Rosa e la compagna lo fermarono in
mezzo alla strada, invitandolo a seguirle; egli fuggì, preso da
un tremito di disgusto e d'orrore. Dio! Dio! Gli pareva fosse
stata *lei* a fermarlo...

Egli studiava con ardore e scriveva lunghe lettere a Margherita.

Il loro amore era perfettamente simile a centomila altri
amori fra studenti poveri e signorine ricche: ma ad Anania
pareva che nessuna coppia al mondo potesse amarsi come
si amavano loro, e che nessun uomo avesse mai amato con
l'ardore con cui egli amava. Nonostante il dubbio che Margherita potesse abbandonarlo se egli ritrovava sua madre, era
felice del suo amore; la sola idea di riveder la fanciulla gli dava
vertigini di gioia.

Contava i giorni e le ore; in tutto il suo avvenire misterioso e velato non scorgeva che un punto luminoso: l'incontro
con Margherita, al suo ritorno per Pasqua.

Anche a Cagliari, durante il primo anno di liceo, egli non
ebbe amici e neppure conoscenti; quando non studiava o non
vagava solitario in riva al mare, sognava sul balcone, come
una fanciulla.

Un giorno, verso il tramonto, salì sulle colline di monte Urpino, al di là dei campi ove i mandorli fiorivano dal gennaio, e s'inoltrò nella pineta. Sul musco dei viali abbandonati il sole calante tra i pini rosei gettava riflessi delicati; a sinistra s'intravedevano prati verdi, mandorli in fiore, siepi rosse al tramonto; a destra boschetti di pini, e chine ombrose coperte di iris.

Egli non sapeva dove fermarsi, tanto i posti erano deliziosi; colse un fascio d'iris, e infine salì sopra una cima verde di asfodeli, dalla quale si godeva la triplice visione della città rossa al tramonto, degli stagni azzurrognoli e del mare che pareva un immenso crogiuolo d'oro bollente. Il cielo ardeva; la terra esalava delicate fragranze; le nuvole azzurrastre, che disegnavano sull'orizzonte d'oro profili di cammelli e figure bronzee, davano l'idea d'una carovana e ricordavano l'Africa vicina.

Anania si sentiva così felice che sventolò il fazzoletto e si mise a gridare salutando un essere invisibile, – che era l'anima del mare, del cielo, lo spirito dei sogni: Margherita.

D'allora in poi le pinete di monte Urpino diventarono il regno dei suoi sogni: a poco a poco egli si considerò talmente padrone del luogo che si irritava quando incontrava qualche persona nei viali solitari: spesso rimaneva nella pineta fino al cader della sera, assisteva ai rossi tramonti riflessi dal mare, o seduto fra le iris guardava il sorgere della luna, grande e gialla, fra i pini immobili. Una sera, mentre stava seduto sull'erba di una china, al di là di un piccolo burrone, udì un tintinnio di greggie pascenti, e fu assalito da un impeto di nostalgia.

Davanti a lui, al di là del burrone, il viale perdevasi in una lontananza misteriosa: i pini rosei sfumavano sul cielo puro, il musco aveva riflessi di velluto; Venere splendeva sull'orizzonte roseo, sola e ridente, quasi affacciatasi prima delle altre stelle per godersi la dolcezza della sera senza essere disturbata.

A che pensava la solitaria stella? Aveva un amante lontano? Anania osò rassomigliarsi all'astro radioso, così solo nel cielo come egli era solo nella pineta. Forse in quell'ora Margherita guardava la stella della sera. E che faceva zia Tatàna? Il fuoco ardeva nel focolare, e la buona vecchia preparava melanconicamente il pasto della sera, pensando al suo caro fanciullo lontano. Ed egli, egli non pensava quasi mai a lei; egli era un ingrato, un egoista. Ah, ma che poteva farci? Se al posto di zia Tatàna ci fosse stata un'altra donna, il suo pensiero sarebbe volato costantemente a lei. Invece quella donna... Dove era quella donna? Che faceva in quell'ora? Scorgevano anche i suoi occhi la stella della sera? Era morta? Era viva? Era ricca o mendicante? E se fosse in carcere?

Egli si meravigliò di non arrossire a questo pensiero. Per la prima volta, dopo tanti anni, provò un senso di pietà, come quando, bambino, cercava di scaldare coi suoi piedini i piedi gelati di Olì...

*
**

Finalmente il giorno del ritorno arrivò. Egli partì, quasi oppresso dalla sua felicità: aveva paura di morire in viaggio, di non arrivare a rivedere le care montagne, la nota strada, il dolce orizzonte, il viso di Margherita...

«Se però io morissi ora,» pensava, con la fronte appoggiata alla mano, «se morissi ora ella non mi dimenticherebbe mai più...»

Fortunatamente arrivò sano e salvo; rivide le care montagne, le valli selvaggie, il dolce orizzonte, il viso paonazzo di Nanna venuta ad incontrarlo alla stazione.

Ella aspettava da più di un'ora; appena vide il bel volto di Anania aprì le braccia e cominciò a piangere.

– Figliuolino mio! Figliuolino mio!

– Come la va? Prendi! – egli gridò, e per impedirle di ab-
bracciarlo le gettò addosso la valigia, un involto, un cestino.

– Avanti! Avanti! Va avanti, passa di qui; io devo passar di
là. Andiamo.

Si mise quasi a correre, e sparve, lasciando la donna stu-
pefatta. Ecco, ecco. Egli deve rivedere la nota strada: *ella* lo
aspetta alla finestra, e non hanno bisogno di testimoni per ri-
vedersi. Come le case di Nuoro sono piccole e le strade strette
e deserte! Meglio! Fa quasi freddo, a Nuoro! La primavera
c'è, ma è ancora pallida e delicata come una fanciulla conva-
lescente. Ah, ecco alcune persone che s'avanzano: fra esse è
Franziscu Carchide che, riconoscendo lo studente, comincia a
far gesti di gioia. Che rabbia!

– Ebbene, come stai? Ben tornato! Come ti sei fatto grande! Ed elegante, poi! E che scarpette da damerino! quanto le
hai pagate?

Finalmente Anania è libero. Avanti, avanti! Il suo cuore
batte, batte sempre più forte. Una donna s'affaccia al limitare di una porta, guardando curiosamente; ma Anania passa,
fugge, e da lontano sente esclamare: «È lui, sì, proprio lui!»
Ebbene, sì, è proprio lui, che vi importa? Ah, ecco, ecco;
ecco la strada che conduce all'altra, alla nota, alla cara strada.
Finalmente: non è un sogno? Anania sente dei passi e si stiz-
zisce; è un bambino che attraversa di corsa la strada, lo urta,
vola via. Egli vorrebbe correre così, ma non può, non deve.
Prende anzi un aspetto rigido, composto, si accomoda la cravatta, si sbatte con due dita i risvolti del soprabito. Già; egli
ha un soprabito lungo, chiaro, elegante che *lei* non ha ancora
veduto. Lo riconoscerà subito con quel soprabito? Forse no.
Ecco finalmente la nota strada! Ecco il portone rosso, ecco la
casa bianca con le finestre verdi. Margherita non c'è! Perché?
Perché, Dio mio?

Egli si ferma, palpitando. Fortunatamente la strada è deserta: solo una gallina nera passeggia, alzando molto le zampe prima di posarle per terra, e si diverte a battere il becco sul muro... Basta, bisogna passare oltre, a scanso di essere notato da qualche occhio curioso. Egli comincia a camminare lentamente come la gallina; e benché le finestre rimangano vuote egli non cessa di fissarle un istante, e si commuove e sente il cuore saltargli in gola.

Ad un tratto gli parve di svenire. Margherita s'era affacciata, pallida di passione, e lo guardava con occhi ardenti. Egli impallidì e non pensò neppure a salutare, a sorridere; non pensò a nulla, e per parecchi istanti non vide che quegli occhi ardenti dai quali gli pioveva una voluttà ineffabile.

Camminò automaticamente, voltandosi ad ogni passo, seguito da quegli occhi inebbrianti; e solo quando Nanna, con la valigia sul capo, l'involto in una mano e il cestino nell'altra, apparve ansante in fondo alla strada, egli trasecolò, sorpreso, e affrettò il passo.

PARTE SECONDA
CAPITOLO I

Era nell'ora che volge il desio ai naviganti ed a quelli che stanno per salpare verso ignoti lidi.

Anania è fra questi. Il treno lo trasporta verso il mare; cade una limpida sera d'autunno, grave di melanconia; i dentellati monti della Gallura sfumano nelle lontananze violacee, l'aria odora di brughiere; un ultimo paesetto appare, grigio e nero su uno sfondo di cielo rossastro. Anania guarda gli strani profili dei monti, il cielo colorato, le macchie, le roccie, e solo il timore di apparire ridicolo agli altri due viaggiatori, un prete e uno studente già suo compagno di scuola, gli impedisce di piangere.

Eppoi, ormai, egli è un uomo. È vero che egli si credeva *un uomo* fin da quando aveva quindici anni: ma allora si credeva un uomo giovane, mentre adesso si crede un *giovine vecchio*. Eppure la salute e la gioventù brillano nei suoi occhi; egli è alto, svelto, con due seducentissimi baffetti castanei dalle punte d'oro.

La sera cadeva; già qualche stella appariva «sovra i monti di Gallura» e qualche fuoco rosseggiava tra il verde-nero delle brughiere. Addio dunque, terra natia, isola triste, antica madre amata ma non abbastanza perché una voce potente d'oltre mare non strappi i tuoi figli migliori dal tuo grembo, incitandoli a disertare, come aquilotti, il nido materno, la roccia solitaria.

Lo studente guardava l'orizzonte ed i suoi occhi si offuscavano a misura che s'offuscava il cielo. Da quanti anni egli aveva sentito la voce che lo attirava lontano!

Ricordava l'avventura con Bustianeddu, il progetto della fuga infantile; poi i continui sogni, il desiderio mai spento di un viaggio verso la terre d'oltre mare: eppure sul punto di lasciar l'isola egli si sentiva triste, e si pentiva di non aver proseguito gli studi a Cagliari. Era stato così felice laggiù! Nell'ultimo maggio Margherita gli era apparsa tra lo splendore fantastico delle feste di Sant'Efes, e insieme con lei, fra allegre brigate di compaesani, egli aveva trascorso ore indimenticabili. Ella era elegante, molto alta e formosa; i suoi capelli splendenti e gli occhi turchini solcati dall'ombra delle lunghe ciglia nere attiravano l'attenzione dei passanti che si voltavano a guardarla. Anania, meno alto e più sottile di lei, le camminava al fianco, trepidante di piacere e di gelosia; gli pareva impossibile che la bella creatura regale e taciturna, nei cui occhi sdegnosi brillava tutta la fierezza d'una razza dominatrice, si abbassasse ad amarlo e neppure a guardarlo.

Margherita parlava poco; non era civetta, non cambiava aspetto né voce, quando gli uomini le rivolgevano lo sguardo o la parola; e Anania l'amava anche per questo, e non vedeva che lei, non guardava altra donna che per paragonarla a lei e trovarla inferiore; e più egli diventava uomo e lei donna, e più la passione lo infiammava: spesso gli sembrava impossibile che anni ed anni dovessero ancora passare prima che ella diventasse sua.

Durante le ultime vacanze si erano spesso trovati soli, nel cortile di Margherita, favoriti dalla serva che facilitava la loro corrispondenza.

Di solito essi tacevano, ma mentre Margherita, o per paura o per pudore tremava, vigile e melanconica, Anania sorrideva completamente dimentico del tempo, dello spazio, delle cose e delle vicende umane.

– Perché non mi ripeti le parole che mi scrivi? – le domandava.

– Taci!... Ho paura...

– Di che? Se tuo padre ci sorprende io mi getterò per terra, gli dirò: «no, non facciamo del male; siamo già uniti per l'eternità....» Non aver paura; io sarò degno di te, io ho un avvenire davanti... Io sarò *qualche cosa!*

Margherita non rispondeva, e vedendola così bella e gelida, con gli occhi illuminati dalla luna come gli occhi di perla d'un idolo, egli non osava baciarla, ma la fissava silenzioso e sussultava, non sapeva bene se di angoscia o di felicità.

*
**

– Il mare è calmo. Dio sia lodato! – disse uno dei viaggiatori.

Anania si scosse dai suoi ricordi e guardò la distesa verde-dorata del mare, che nel crepuscolo pareva una pianura illuminata dalla luna. Le rovine d'una chiesetta, un sentiero attraverso le macchie, perduto sull'estremo limite della costa, quasi tracciato da un sognatore che l'avesse condotto fin laggiù con la speranza di proseguirlo sul velluto marezzato delle onde, attirarono gli sguardi di Anania. Egli pensò a Renato del quale gli parve intravedere il triste profilo su una roccia guardante il mare... No, non è lui, è un altro eroe di Chateaubriand, Eudoro, che sulle roccie marine della Gallia selvaggia sogna le rose dell'Ellade lontana... Ebbene, no, non è neppure Eudoro... è un poeta che si domanda:

questa roccia granitica erta sul mar che fa?

...Ma la roccia, la chiesetta ed il sentiero sono già spariti e con essi il profilo dell'incerto personaggio...

La tristezza dello studente aumentava: domande gravi e inutili gli attraversavano la mente, cadevano senza risposta, come pietre buttate nell'acqua.

Perché non poteva egli fermarsi su quella costa selvaggia, dolcemente melanconica, e perché il profilo intraveduto sulla roccia non poteva essere il suo? Perché non poteva egli costrurre una casa sulle rovine della chiesetta? Perché pensava a queste stupide romanticherie, perché andava a Roma, perché studiava, perché studiava leggi? Chi era lui? Che cosa era la vita, la nostalgia, l'amore, la tristezza? Che cosa faceva Margherita? Perché egli l'amava? E perché suo padre era servo? E perché suo padre lo aveva replicatamente avvertito di visitare, appena giunto a Roma, *quei luoghi* dove si conservano monete d'oro ritrovate sotterra o nelle antiche rovine? Suo padre era o no un delinquente, o un pazzo affetto dall'idea fissa dei tesori? Che aveva egli ereditato da suo padre? L'idea fissa in forma diversa? Era dunque soltanto un'idea fissa, una malattia mentale, il pensiero costantemente rivolto a quella donna? Ma trovavasi ella veramente a Roma, e la ritroverebbe egli?

– *Anninia*,[20] – disse con voce beffarda l'altro studente, dando ad Anania il nomignolo che i compagni gli avevano affibbiato, – fai la nanna? Su, via, non piangere, la vita è fatta così: un biglietto per viaggio circolare, con diritto di fermate più o meno lunghe. Consolati almeno che il mal di mare non verrà a interrompere i tuoi sogni d'amore...

Infatti il mare era calmissimo e la traversata cominciò coi migliori auspici. La luna nuova calava illuminando fantasticamente le coste e la roccia enorme di Capo Figari, sentinella ciclopica vigilante il melanconico sonno dell'isola abbandonata.

---

20 *Anninia*: Ninna-nanna.

Addio, addio, terra d'esilio e di sogni! Anania rimase immobile, appoggiato al parapetto del piroscafo, finché l'ultima visione di Capo Figari e delle isolette, sorgenti azzurre dalle onde come nuvole pietrificate, svanirono tra i vapori dell'orizzonte; poi sedette sulla panchina, battendosi dispettosamente un pugno sulla fronte per ricacciar dentro le lagrime che gli velavano gli occhi; e rimase lì, pallido e sconvolto, intirizzito dalla brezza umida, finché vide la luna, rossa come un ferro rovente, calare in una lontananza sanguigna. Finalmente si ritirò, ma tardò ad assopirsi; gli pareva che il suo corpo s'allungasse e si restringesse incessantemente, e che una interminabile fila di carri passasse sopra il suo petto indolenzito; i più tristi ricordi della sua vita gli tornarono in mente: gli sembrava di udire, nello scroscio delle acque frante dal piroscafo, il rumore del vento sopra la casetta della vedova, a Fonni... Oh, come, come la vita era triste, inutile e vana! Che cosa era la vita? Perché vivere?

Così, tristemente, si assopì; ma svegliandosi si sentì un altro, agile, forte, felice. Si era addormentato in un tetro paese di dolore, fra onde livide vigilate da una luna sanguigna: si svegliava in mezzo ad un paese d'oro, in un paese di luce, – vicino a Roma.

«Roma!» pensò, palpitando di gioia. «Roma, Roma! Patria eterna, abisso d'ogni male e fonte d'ogni bene!»

Gli pareva di poterla abbracciare tutta, di muovere alla conquista del mondo intero. Già a Civitavecchia, attraversando la città umida e nera sotto il cielo mattutino, tutto gli sembrava bello, e diceva allo studente Daga: – Vedi, mi par d'essere nel vestibolo d'una grotta marina meravigliosa.

Il Daga, che aveva già vissuto un anno a Roma, sorrideva beffardo, invidiando l'entusiasmo enfatico del suo compagno.

L'arrivo rombante del diretto diede al giovane provinciale

sardo un senso di terrore, la prima impressione vertiginosa d'una civiltà quasi violenta e distruggitrice. Gli parve che il mostro dagli occhi rossi lo portasse via, come il vento porta la foglia, lanciandolo nel turbine della vita.

*
**

A Roma i due studenti andarono ad abitare al terzo piano di una casa in Piazza della Consolazione, presso una vedova, madre di due graziose ragazze telegrafiste, maestre, dattilografe, civette.

I due studenti dormivano nella stessa camera, vasta, ma poco allegra, divisa da una specie di paravento formato con una coperta gialla; la loro finestra guardava su un cortile interno.

La prima volta che Anania guardò da quella finestra provò un senso disperato di sgomento. Non vedeva che muri altissimi, d'un giallo sporco, bucati da lunghe finestre irregolari, e panni miseri, d'un candore equivoco, appesi a fili di ferro; uno di questi fili, con anelli scorrevoli, dai quali pendevano laccetti di spago attorcigliati, passava davanti alla finestra degli studenti. Mentre Anania guardava con disperata tristezza i muri perdentisi sul pallido cielo della sera, Battista Daga scosse il filo e cominciò a ridere:

– Guarda, Anninia, guarda come gli anelli e i laccetti di spago ballano. Sembrano vivi. Così è la vita: un filo di ferro attraverso un cortile sporco: gli uomini si agitano, sospesi sopra un abisso di miserie.

– Non rompermi le scatole, – disse Anania, – sono abbastanza melanconico! Usciamo, mi par di soffocare.

Uscivano, camminavano, si stancavano, storditi dal rumore delle carrozze e dallo splendore dei lumi, dal passaggio violento e dal rauco urlo delle automobili.

Anania si sentiva triste, tra la folla; gli pareva d'essere solo in un deserto, e pensava che se si fosse sentito male e avesse gridato nessuno lo avrebbe udito e soccorso. Ricordava Cagliari con nostalgia struggente; oh, balcone incantato, orizzonte marino, dolce occhio di Venere! qui non esistevano più né stelle, né luna, né orizzonte: solo un disgustoso ammasso di pietre, un pullulamento di uomini che allo studente barbaricino parevano d'una razza diversa e inferiore alla sua.

Veduta attraverso lo sbalordimento, la stanchezza dei primi giorni, la suggestione melanconica del buio appartamentino di Piazza della Consolazione, Roma gli dava una tristezza quasi morbosa; nella città vecchia, dalle vie strette, dalle botteghe puzzolenti, dagli interni miserabili, dalle porte che parevano bocche di caverne, dalle scalette che sembrava si perdessero in un tenebroso luogo di dolore, egli ricordava i più miseri villaggi sardi; nella Roma nuova si sentiva smarrito, tutto gli appariva grande, le strade tracciate dai giganti per giganti, le case montagne, le piazze *tancas* sarde; anche il cielo era troppo alto e troppo profondo.

Anche all'Università, dove egli cominciò a frequentare assiduamente i corsi di Diritto civile e penale e le lezioni di Enrico Ferri, lo aspettava una delusione. Gli studenti non facevano altro che rumoreggiare e ridere e beffarsi di tutto. Pareva si beffassero della vita stessa. Specialmente nell'aula IV, mentre si aspettava il Ferri, il chiasso e il divertimento oltrepassavano il limite; qualche studente saliva sulla cattedra e cominciava una parodia di lezione accolta da urli, fischi, applausi, grida di «Viva il Papa», «Viva Sant'Alfonso di Liguori», «Viva Pio IX». Qualche volta lo studente, dalla cattedra, con una faccia tosta indescrivibile imitava il miagolar del gatto o il canto del gallo. Allora le grida e i fischi raddoppiavano; venivano lanciate pallottole di carta, pennine, fiammiferi accesi, finché l'arrivo del professore, accolto da applausi assordanti, metteva fine alla scena.

Anania si sentiva solo, triste fra tanta gioia, e gli sembrava di appartenere ad un mondo diverso da quello ove era costretto a vivere. Solo quando il professore cominciava a parlare, egli provava una commozione profonda, quasi un senso di gioia. Fantasmi di delinquenti, di suicidi, di donne perdute, di maniaci, di parricidi, passavano, evocati dalla voce possente del professore, davanti al pensiero turbato di Anania. E fra tante figure egli ne distingueva una, che passava e ripassava davanti a lui, ad occhi bassi. Ma invece di fissarla con orrore egli la guardava con pietà, col desiderio di stenderle la mano.

Una sera lui e il Daga attraversavano Via Nazionale: lo splendore delle lampade elettriche si fondeva col chiarore della luna: le finestre del palazzo della Banca erano tutte vivamente illuminate.

– Sembra, che tutto l'oro racchiuso nella Banca brilli attraverso le finestre, – disse Anania.

– Ma bbraaavooo! Si vede che la mia compagnia ti dirozza.

– Sono più che mai romantico stasera. Andiamo al Colosseo!

Andarono. Si aggirarono a lungo nel divino mistero del luogo, guardando la luna attraverso ogni arco; poi sedettero su una colonna lucente e sospirarono entrambi.

– Io sento una gioia simile al dolore, – disse Anania.

Il Daga non rispose, ma dopo un lungo silenzio disse:

– Mi sembra d'essere nella luna. Non ti pare che nella luna si debba provare ciò che si prova qui, in questo gran mondo morto?

– Sì, – disse Anania, con voce flebile. – Questa è Roma.

Al ritorno passarono ancora per Via Nazionale. Chiacchieravano in dialetto. Era tardi, e su e giù, attraverso i marciapiedi quasi deserti vagavano molte farfalle notturne, così le chiamava il Daga. A un tratto una di esse passò accanto a loro e li salutò in dialetto sardo.

– *Bonas tardas, pizzoccheddos!*

Era alta, bruna, con grandi occhi cerchiati: la luce elettrica dava al suo piccolo viso, emergente dal collo di pelo d'un soprabito chiaro, un pallore cadaverico.

Come a Cagliari, la sera in cui Rosa e la compagna lo avevano fermato, Anania sussultò, preso da un senso d'orrore, e trascinò via il Daga che rispondeva insolentemente alla donna.

Era *lei*? Poteva esser *lei*? Era una sarda... poteva esser lei!...

CAPITOLO II

Sdraiato sul suo lettuccio, dopo ore ed ore di amarezza, di dubbio, di opprimente melanconia, egli pensava:

– È inutile illudermi: non sono pazzo, no; ma non posso più vivere così; bisogna ch'io sappia... Oh, fosse morta! fosse morta! Bisogna che io cerchi. Non sono venuto a Roma per questo? Domani! domani! Dal giorno che arrivai ripeto questa parola, e l'indomani arriva ed io non faccio niente. Ma che posso fare? Dove devo andare? E se la trovo?

Ah, era di questo che egli aveva paura. Non voleva neppur pensare a quanto poteva accadere *dopo*...

Improvvisamente si domandò: – E se mi confidassi col Daga? Se io ora gli dicessi: «Battista, devo uscire, devo recarmi in Questura per chiedere informazioni....» Ah, non ne posso più! Sono tanti e tanti anni che io trascino con me questo peso: ora vorrei liberarmene, gettarlo via come si getta un carico opprimente... liberarmene, respirare... Bisogna snidarlo questo verme roditore. Mi diranno che sono uno stupido, mi convinceranno che lo sono, mi diranno di smettere... Ebbene, tanto meglio se mi convinceranno... Che giornata triste! Il cielo si abbassa... si abbassa sempre più... Avrei sonno? Bisogna ch'io vada subito.

Pioveva dirottamente. Anche il Daga sonnecchiava sul suo lettuccio, al di là del paravento.

– Battista, – disse Anania, sollevandosi, col gomito sul guanciale, – tu non esci?

– No.

– Mi presti il tuo ombrello?

Sperava che il compagno gli chiedesse dove voleva andare, con quel tempo orribile, ma il Daga disse:

– Non potresti farmi il piacere di comprartene uno?

Anania sedette sul letto, rivolto al paravento, e mormorò:

– Devo andare in Questura...

E sperò ancora che una voce fraterna gli chiedesse il suo segreto... Ecco, egli palpitava già pensando come cominciare...

Ma attraverso il paravento una voce beffarda chiese:

– Vai a far arrestare la pioggia?

Il segreto gli ripiombò sul cuore, più amaro e grave di prima. Ah, non un paravento, ma una muraglia insuperabile lo divideva dalla confidenza e dalla carità del prossimo. Non doveva chiedere né aspettare aiuto da nessuno; doveva bastare a se stesso.

S'alzò, si pettinò accuratamente e cercò nel cassetto la sua fede di nascita.

– Prendilo pure, l'ombrello. Ma perché vai? – chiese l'altro, sbadigliando.

Egli non rispose.

Sulle scale buie si fermò un momento, ascoltando lo scroscio sonoro dell'acqua sull'invetriata del tetto: pareva il rombo d'una cascata, che dovesse di momento in momento precipitarsi entro la casa, già inondata dal fragore dell'imminente rovina. Una tristezza mortale gli strinse il cuore. Uscì e vagò lungamente per le strade lavate dalla pioggia: salì su per una viuzza deserta, passò sotto un arco nero, guardò con infinita tristezza i chiaroscuri umidi di certi interni, di certe piccole botteghe, nella cui penombra si disegnavano pallide figure di donne, di uomini volgari, di bimbi sudici: antri ove i carbonari assumevano aspetti diabolici, dove i cestini di erbaggi e di frutta imputridivano nell'oscurità fangosa, ed il fabbro e il ciabattino e la stiratrice si consumavano nei lavori forzati, in un luogo di pena più triste della galera stessa.

Anania guardava: ricordava la catapecchia della vedova di Fonni, la casa del mugnaio, il molino, il misero vicinato e le melanconiche figure che lo animavano; e gli pareva d'esser condannato a viver sempre in luoghi di tristezza e tra immagini di dolore.

Dopo un lungo ed inutile vagabondare rientrò a casa e si mise a scrivere a Margherita.

« Sono mortalmente triste: ho sull'anima un peso che mi opprime e mi schiaccia. Da molti anni io volevo dirti ciò che ti scrivo adesso, in questo triste giorno di pioggia e di melanconia. Non so come tu accoglierai la rivelazione che sto per farti; ma qualunque cosa tu possa pensare, Margherita, non dimenticare che io sono trascinato da una fatalità inesorabile, da un dovere che è più terribile d'un delitto... »

Arrivato alla parola «delitto» si fermò e rilesse la lettera incominciata. Poi riprese la penna, ma non poté tracciare altra parola, vinto da un gelo improvviso. Chi era Margherita? Chi era lui? Chi era *quella donna?* Cosa era la vita? Ecco che le stupide domande ricominciavano. Guardò lungamente i vetri, il filo di ferro, gli anellini ed i lacci bagnati e saltellanti su uno sfondo giallastro, e pensò:

«Se mi suicidassi?»

Lacerò lentamente la lettera, prima in lunghe striscie, poi in quadrettini che dispose in colonna, e tornò a fissare i vetri, il filo di ferro, i laccetti che parevano marionette. Rimase così finché la pioggia cessò, finché il compagno lo invitò ad uscire.

Il cielo si rasserenava; nell'aria molle vibravano i rumori della città rianimatasi, e l'arcobaleno s'incurvava, meravigliosa cornice, sul quadro umido del Foro Romano.

Al solito, i due compagni salirono per Via Nazionale e il

Daga si fermò a guardare i giornali davanti al Garroni, mentre Anania proseguiva distratto, andando incontro ad una fila ciangottante di chierici rossi, uno dei quali lo urtò lievemente. Allora egli parve destarsi da un sogno, si fermò e aspettò il compagno, mentre i chierici s'allontanavano, e il riflesso dei loro abiti scarlatti dava uno splendore sanguigno al lastrico bagnato.

– Nella mia infanzia ho conosciuto il figliuolino d'un bandito famoso; il bimbo era già arso da passioni selvagge, e si proponeva di vendicare suo padre. Ora invece ho saputo che si è fatto frate. Come tu spieghi questo fatto? – domandò Anania.

– Quell'individuo è pazzo! – rispose il Daga con indifferenza.

– Ebbene, no! – riprese Anania animandosi. – Noi spieghiamo o vogliamo spiegare molti misteri psicologici, dando il titolo di matto all'individuo che ne è soggetto.

– Per lo meno, però, è un monomaniaco. D'altronde anche la pazzia è un mistero psicologico complicato; un albero il cui ramo più potente è la monomania.

– Ebbene, ammetto. Ma l'individuo in questione aveva la monomania del banditismo; aggiungi, monomania atavica. Facendosi frate egli, sebbene uomo quasi primitivo, ha voluto liberarsi dal suo male...

– E finirà con l'impazzire davvero, quel frate. Un uomo cosciente, colto dal malanno di un'idea fissa qualunque, deve liberarsene secondandola.

– Tu forse hai ragione, – disse Anania, pensieroso. E non parlò più finché non arrivarono all'angolo di Via Agostino Depretis. Allora disse, svoltando strada: – Voglio prendere... mi hanno incaricato di prendere l'indirizzo di una persona... Devo andare in Questura.

Il compagno lo seguì, curioso.

– Chi è questa persona? Chi ti ha incaricato? È del tuo paese?

Ma Anania non si spiegava. Arrivati davanti a Santa Maria Maggiore il Daga dichiarò che non sarebbe andato oltre.

– Allora aspettami qui, – disse Anania, senza fermarsi, – ti dirò poi...

Messo in curiosità il Daga lo seguì per un tratto, poi lo aspettò sulla gradinata della chiesa.

– Il dado è gettato? – chiese con enfasi, quando Anania ricomparve. Ma nonostante le sue domande e i suoi scherzi non riuscì a sapere che cosa il suo compagno era andato a fare in Questura. Appoggiato al muro Anania guardava l'orizzonte e ricordava la sera in cui, bambino, era salito sulle falde del Gennargentu ed aveva veduto un pauroso cielo tutto rosso, animato da spiriti invisibili.

Anche adesso sentiva un mistero aleggiargli intorno, e la città gli sembrava una foresta di pietra attraversata da fiumi pericolosi, e sentiva paura.

CAPITOLO III

Sì, come si legge nelle vecchie storie romantiche, il dado era gettato. La Questura, dopo la domanda e le indicazioni di Anania, fece ricerca di Rosalia Derios, e verso la fine di marzo informò lo studente che al numero tale di Via del Seminario, all'ultimo piano, abitava una donna sarda, affitta-camere, il cui passato e i connotati corrispondevano a quelli di Olì.

Questa signora si chiamava, o si faceva chiamare, Maria Obinu, nativa di Nuoro. Abitava in Roma da quattordici anni, e nei primi tempi aveva vissuto un po' irregolarmente. Da qualche anno, però, menava vita onesta, – almeno in apparenza, – affittando camere mobiliate e facendo pensione.

Anania non si commosse troppo nel ricevere queste informazioni. I connotati combinavano; egli non ricordava precisamente la fisonomia di sua madre, ma ricordava che ella era alta, coi capelli neri e gli occhi chiari: e la Obinu era alta, coi capelli neri e gli occhi chiari.

Inoltre egli sapeva che a Nuoro non esisteva alcuna famiglia Obinu, e che nessuna donna nuorese viveva e affittava camere a Roma. Evidentemente quindi la Obinu falsava il suo nome e la sua origine...

Tuttavia egli *sentì* che la donna indicatagli dalla questura non era, non *poteva* essere sua madre; questa non viveva a Roma dal momento che la questura non riusciva a scoprirla. Dopo giorni e mesi di attesa e di ansia, egli provò come un senso di liberazione.

La primavera penetrava anche nel cortile melanconico di Piazza della Consolazione, in quell'enorme pozzo giallo esalante odori di vivande, animato dal canto delle serve e dal gorgheggio dei canarini prigionieri. L'aria era tiepida e dolce; sul cielo azzurro passavano nuvolette rosee, e il vento portava fragranze di rose e di viole.

Affacciato alla finestra, Anania si abbandonava ai suoi sogni nostalgici. L'odore delle viole, le nuvole rosee, il tepore della primavera, tutto gli ricordava la terra natia, i vasti orizzonti, le nuvole che dalla finestra della sua cameretta egli vedeva affacciarsi o tramontare fra gli elci dell'Orthobene. Poi ricordava la pineta di monte Urpino, il silenzio delle cime coperte d'asfodeli e di iris violette, il mistero dei viali vigilati dal puro sguardo delle stelle. E la figura diletta di Margherita dominava i freschi paesaggi natii, circondata di asfodeli e di gigli selvatici, coi capelli di rame sfumati nel fulgore del cielo metallico.

La primavera romana non lo commoveva che per le rimembranze: gli sembrava una primavera artificiale, troppo ardente e luminosa, troppo abbondante di fiori e di profumi. Piazza di Spagna, ornata come un altare, con la scalinata coperta di petali di rose mosse dalla brezza, il Pincio con gli alberi avvolti di fiori violacei, le vie profumate dai cestini di narcisi e di ranuncoli che le fioraie, ferme sull'orlo dei marciapiedi, offrivano ai passanti, – tutta questa ostentazione, tutto questo mercato della primavera, dava allo studente l'idea di una festa banale, che a lungo andare rattristava e disgustava.

La primavera palpitava al di là dell'orizzonte; giovinetta selvaggia e pura ella scorrazzava attraverso le *tancas* coperte d'erbe alte aromatiche, e cantava con gli uccelli palustri in riva ai torrenti, e scherzava coi mufloni e con le lepri, fra i ciclamini, sotto le immense quercie sacre ai vecchi pastori della

Barbagia, e si addormentava all'ombra delle roccie fiorite di musco, nei voluttuosi meriggi, mentre intorno al suo letto di felci e di pervinche gli insetti dorati ronzavano amandosi, e le api suggevano le rose canine estraendone il miele amaro; amaro e dolce come l'anima sarda.

Anania amava e viveva in questa primavera lontana; seduto accanto alla finestra guardava le nuvolette rosee, e s'immaginava di essere un prigioniero innamorato. Una sonnolenza piacevole gli velava lo spirito, togliendogli la forza e la volontà di pensare a determinate cose. Le idee venivano e passavano nella sua mente, – così come le persone passano per la via; lo interessavano per un attimo, ma non si fermavano ed egli le dimenticava subito.

Più che mai amava la solitudine; e persino la presenza del compagno lo irritava, anche perché il Daga lo derideva continuamente.

– Noi vediamo la vita sotto aspetti ben diversi, – gli diceva, – cioè io la vedo e tu non la vedi. Io sono miope e vedo, attraverso lenti fortissime, le cose e le umane vicende, nitidamente, rimpicciolite; tu sei miope e non possiedi neppure un paio d'occhiali.

Talvolta infatti pareva ad Anania di aver un velo davanti agli occhi; egli viveva di diffidenza e di dolore. Anche la sua passione per Margherita, in fondo, era composta di tristezza e di paura.

*
**

Un giorno, agli ultimi di maggio, egli sorprese il compagno stretto in tenero amplesso con la maggiore delle padroncine.

– Sei un bruto, – gli disse con disprezzo. – Non amoreggi anche con l'altra sorella? Perché ti burli di entrambe?

– Scusami, stupido: son loro che vengono a buttarmisi fra
le braccia, le posso respingere? – chiese cinicamente il Daga. –
Poiché il mondo è diventato un gambero, profittiamone. Ora
son le donne che seducono gli uomini; ed io sarei più stupido
di te se non mi lasciassi sedurre... fino ad un certo punto...

– Ma perché certe cose non accadono che a certi tipi? A
me no, per esempio.

– Perché agli asini non può succedere ciò che succede agli
uomini: eppoi le nostre soavi padroncine hanno, in fondo,
l'onesto desiderio di trovarsi un marito e sanno che tu sei
fidanzato.

– Io fidanzato?... – gridò Anania, – chi lo ha detto?

– Chi lo sa? E di una Margherita, anche, che questa volta,
meno male, va gettata *ante asino*.

– Ti proibisco di ripetere quel nome! – proruppe Anania,
andando addosso al Daga. – Capisci, te lo proibisco!

– Abbasso le dita, ché mi cavi gli occhi! Il tuo amore è
feroce!

Fremente di collera Anania si mise a impacchettare i suoi
libri e le sue carte.

– Ah, – diceva, a denti stretti, – me ne vado subito, subito.
Io non so vivere fra gente curiosa e volgare.

– Addio, dunque! – disse Battista, gettandosi sul letto. –
Ricordati almeno che nei primi giorni che siamo giunti, se
non c'ero io rimanevi vilmente schiacciato da una carrozza.

Anania uscì, col cuore gonfio di fiele: si diresse automaticamente verso il Corso, e quasi senza avvedersene si trovò
in Via del Seminario. Era un pomeriggio ardente; lo scirocco
sbatteva le tende dei negozi: l'aria odorava di vernici, di droghe e di vivande.

Anania sentiva i suoi nervi fremere come corde metal-
liche. In Via del Seminario passò in mezzo a uno stormo

di chierici e di preti dalle mantelline svolazzanti e mormorò dispettosamente:

— Corvi!

A un tratto, accanto a una piccola porta che dava su un andito buio, egli vide un numero, il numero della casa ove abitava Maria Obinu. Entrò, salì all'ultimo piano e suonò. Una donna alta e pallida, vestita di nero, aprì: egli si turbò, sembrandogli di aver veduto altra volta i grandi occhi verdastri di lei.

— La signora Obinu?

— Sono io, — rispose la donna con voce grave.

— No, — egli pensò, — non è *lei*; non è la sua voce.

Entrò. La Obinu gli fece attraversare un piccolo vestibolo buio e lo introdusse in un salottino grigio e triste; egli si guardò attorno, vide una testa di cervo e una pelle di muflone attaccate al muro, e immediatamente sentì i suoi dubbi rinascere.

— Vorrei una camera; io sono sardo, studente, — disse, esaminando la donna da capo a piedi.

Ella era pallida e scarna, col collo lungo, il naso affilato quasi trasparente; ma i folti capelli neri, pettinati ancora alla sarda, cioè a trecce strette appuntate fortemente sulla nuca, le davano un'aria graziosa.

— Lei è sardo? Ho piacere... — rispose disinvolta. — Adesso non ho camere disponibili, ma se lei può pazientare una quindicina di giorni, ho una signorina inglese che deve partire...

Egli chiese ed ottenne di veder la camera; il letto stava al centro, fra due cataste di libri vecchi e d'oggetti antichi; entro una vasca di gomma, ancora piena d'acqua insaponata, olezzava un fascio di gaggie; dalla finestra si scorgeva un giardinetto melanconico. Sul tavolino Anania vide, fra gli altri, un volumetto che egli amava con passione dolorosa. Erano i versi di Giovanni Cena: *Madre.*

– Ho bisogno di andar subito via dalla casa dove sto; prenderò questa camera, ma intanto, non potrebbe darmene un'altra, fosse anche un buco?...

Rientrarono nel salottino, ed egli si fermò a guardare la testa imbalsamata del cervo.

–È un ricordo di mio padre, che era cacciatore, – disse la donna, sorridendo con bontà.

– È di Nuoro, lei?

– Sì, ma sono nata là per caso.

– Anch'io sono nato per caso nel villaggio di Fonni, – egli disse, guardandola in viso. – Sì, sono nato a Fonni; mi chiamo Anania Atonzu Derios.

Ella non batté palpebra.

– No, non è *lei!* – egli pensò, e si sentì felice.

– Per questi quindici giorni le darò la mia camera, – disse finalmente la Obinu, cedendo alle insistenze di lui, ed egli accettò.

La cameretta pareva la cella d'una monaca; il lettino candido, odorante di spigo, ricordava i semplici giacigli di certe patriarcali abitazioni sarde. E come in quelle abitazioni, Maria Obinu aveva appeso lungo le pareti grigie della sua camera una fila di quadretti e di immagini sacre; tre ceri, poi, e tre crocefissi, un ramo d'olivo e un rosario che pareva di confetti, pendevano in capo al letto; in un angolo ardeva una lampadina davanti ad una immagine dove le Sante Anime del Purgatorio, tinte di livido da un lapis turchino, pregavano tra fiamme insanguinate da un lapis rosso.

Anania prese possesso della camera, e ben presto fu riassalito dai suoi dubbi.

Perché la Obinu gli cedeva la sua camera? perché si mostrava così premurosa con lui?

Mentre egli metteva a posto i suoi libri, Maria bussò e, senza avanzare, gli domandò se desiderava che la lampadina delle «Sante Anime» venisse spenta.

– No, – egli rispose con voce forte, – venga avanti, anzi, che le faccio vedere una cosa.

Ella entrò, pallida, sorridente; pareva avesse sempre conosciuto il suo inquilino e gli volesse bene.

Egli teneva fra le mani uno strano oggetto, un sacchettino di stoffa unta, attaccato ad una catenina annerita dal tempo. Disse, mettendosi l'amuleto al collo:

– Veda, anche io sono devoto, questa è la *ricetta* di San Giovanni, che allontana le tentazioni.

La donna guardava. Improvvisamente cessò di sorridere, ed Anania sentì il suo cuore battere forte.

– Lei non crede a queste cose? – domandò Maria. – Ebbene, se non ci crede, almeno non se ne burli. Sono cose sacrosante.

*
**

Steso sul lettino odorante di spigo, Anania pensava continuamente al suo segreto.

... E se Maria Obinu era Olì? Se era lei? Così vicina e così lontana! Qual filo misterioso lo aveva condotto fino a lei, fino al guanciale su cui ella doveva qualche volta piangere ricordando il figliuolo abbandonato? Che strana cosa la vita!

Egli era dunque giunto così al suo destino, solo per forza di una volontà misteriosa che lo aveva guidato quasi a sua insaputa. Ma non era pazzo, dunque? Che sciocchezze, che puerilità! No, non era *lei*, non poteva esser *lei*. Ma se lo era? Se ella già sapeva di essere vicina a suo figlio, mentre egli si dibatteva nel dubbio?

No, non poteva essere lei. Una madre non può non tradirsi,

non può non gridare nel rivedere suo figlio. Era assurdo. –
Sciocchezze, idee convenzionali. Una donna sa dominarsi anche
tra le più violente emozioni. Essa, poi, che aveva abbandonato e
buttato via la sua creatura! Appunto per questo doveva tradirsi,
gridare, sussultare. Una madre è sempre una madre. Eppoi
Olì, una selvaggia, una semplice figlia della natura, non poteva
aver assimilato la perfidia delle donne di città, tanto da fingere
come una commediante, da sapersi dominare così! Impossibile.
Era assurdo, Maria Obinu era Maria Obinu, simpatica donna,
mite e incosciente, che aveva avuto la fortuna, più che la forza,
di emendarsi. Non poteva esser *lei*.

Ma intanto egli ricordava la prima notte passata a Nuoro
e il bacio furtivo di suo padre, e di momento in momento
aspettava che l'uscio s'aprisse, e un'ombra si avanzasse, nel
chiarore della lampadina, e un bacio rivelatore gli sfiorasse
la fronte!...

– E se ciò fosse... che farei io? – si chiedeva trepidando.

I rumori della città si affievolivano, s'allontanavano, quasi
ritirandosi anch'essi, stanchi, verso un luogo di riposo. Anania sentì rientrare i tardivi inquilini, poi tutto fu silenzio,
nella casa, nella via, nella città. Ed egli vegliava ancora! Ah,
forse quella lampadina?...

– Ora la spengo... – Si alzò. Un rumore, un fruscio... È
l'uscio che si apre? Oh, Dio! Egli si gettò nuovamente sul
letto, chiuse gli occhi e attese. Il cuore e la gola gli pulsavano
febbrilmente.

Ma l'uscio rimase chiuso, ed egli si calmò e rise di sé. Però
non spense la lampadina.

CAPITOLO IV

« Roma, 1° giugno.

« *Margherita mia,*

« Ricevo in questo momento la tua lettera e rispondo subito. Sono un po' stordito; in questi giorni ho almeno una ventina di volte preso in mano la penna per scriverti, senza riuscirci. Eppure ho tante cose da dirti. Ho cambiato casa: sto presso una signora sarda che dice di esser nata a Nuoro, è una buona donna, simpatica, molto devota; ha per me delle cure veramente materne, tanto che mi ha dato la sua camera in attesa della partenza d'una bellissima signorina inglese che deve cedermi la sua.

» Questa Miss rassomiglia a te in modo straordinario; ti scongiuro però di non esser gelosa: 1° perché io sono pazzamente innamorato di una signorina nuorese; 2° perché Miss deve partire fra otto giorni; 3° perché è matta da legare; 4° perché è fidanzata; 5° perché io sono sotto la salvaguardia di tutte le sante ed i santi del cielo appesi alle pareti della mia camera, nonché delle Anime Sante del Purgatorio illuminate giorno e notte da una *mariposa*.

» Presso la mia nuova padrona abitano altri stranieri che vanno e vengono, e un sarto piemontese, elegantissimo e coltissimo, e un commesso viaggiatore, che per le bugie che dice mi ricorda il colendissimo signor Francesco Carchide di Nuoro, tuo sfortunato pretendente.

» La signora Obinu tiene poi una vecchia cuoca sarda, che

sta a Roma da oltre trent'anni ed ancora non ha appreso l'i-
taliano. Povera vecchia zia Varvara! Essa è nera e piccina come
una *jana*: [21] conserva gelosamente nel baule il suo costume
natio, ma veste un ridicolo abito comprato a Campo dei Fiori.
Spesso io vado a trovarla, nella cucina buia e torrida, ed essa
mi domanda notizie delle persone del suo paese, e crede che il
mare sia sempre in tempesta come l'unica volta in cui ella lo
attraversò. Per lei Roma è *un luogo dove tutte le cose son care*,
e dove si può morire da un momento all'altro investiti da una
vettura. Mi domandò se da noi si fa ancora il pane in casa;
risposi di sì ed essa si mise a piangere, ricordando gli scherzi
e il divertimento dei giorni nei quali si cuoceva il pane, a casa
sua. Poi volle sapere se i pastori mangiano ancora seduti per
terra, sotto gli alberi. Come sospirava ricordando un *banchetto*
di Pasqua, a cui prese parte quarant'anni or sono, in un ovile
del Goceano!

» Qui fa già molto caldo, ma verso sera, di solito, l'aria si
rinfresca: io passeggio lungo le rive del Tevere, e sto ore ed
ore a guardare l'acqua corrente, rivolgendo a me stesso delle
domande perfettamente inutili. Nelle sere tranquille il gran
fiume è tutto latteo, e riflette i lumi, i ponti, la luna, come un
marmo levigato. Io rassomiglio il corso perenne dell'acqua al
mio amore per te; così, continuo, silenzioso, travolgente, inesauribile. Perché, perché tu non sei qui con me, Margherita
mia? Già tutte le cose mi sembrano più interessanti quando io
le guardo pensando a te; ah, come dunque mi parrebbero belle
se potessi vederle riflesse dai tuoi occhi adorati! Ma quando
dunque, ma quando si potrà avverare il sogno tormentoso e
delizioso delle anime nostre? In certi momenti mi pare impossibile che io possa vivere ancora tanto tempo diviso da te,

---

21 *Jana*: Fata nana delle tradizioni sarde.

ed uno spasimo indicibile mi fa tremare il cuore; poi trasalisco
di gioia al pensare che fra due mesi ci rivedremo.

   » O mia Margherita, mio fiore adorato, io non so esprim-
merti ciò che sento, e mi pare che nessuna parola umana
potrebbe esprimerlo. È un fuoco continuo che mi arde e mi
divora, è una sete inesprimibile che una sola fontana potrà
estinguere. Io sono così solo nel mondo, Margherita! Tu sei
tutto il mio mondo, e quando io mi smarrisco tra la folla,
in un mare di gente sconosciuta, basta che pensi a te perché
l'anima mia vibri d'amore per tutti gli ignoti esseri che mi
circondano, e intorno a me senta vibrare l'anima della molti-
tudine, come un mare sonoro.

   » Quando ricevo le tue lettere, provo una felicità così intensa che mi dà le vertigini; mi pare d'essere giunto alla cima
d'una montagna, e che debba appena stender la mano per
sfiorare le stelle. È troppo... è troppo... ho quasi paura; paura
di precipitare in un abisso, paura di essere incenerito dal contatto degli astri vicini. Che accadrebbe di me se tu mi venissi
a mancare? Ah, tu non sai, tu non puoi capire che bestemmia
pronunzi quando mi scrivi che sei gelosa delle donne che io
posso incontrare qui a Roma. Nessuna donna può essere, può
rappresentare per me ciò che tu sei e rappresenti. Sei la mia
vita stessa, sei il passato, la patria, la razza, il sogno. »

. . . .

. . . .

   « Riprendo la lettera, tutto stordito da una confidenza fat-
tami da zia Varvara pochi minuti or sono. La vecchietta entrò
qui con la scusa di portare dell'acqua: era tutta arrabbiata
con la padrona e cominciò a parlar male di lei. Mi disse che
la Obinu ha un passato tenebroso, che ha abbandonato in
Sardegna due suoi figliuoli, e che adesso continua ad avere
qualche relazione equivoca.... »

. . . .
. . . .

Egli interruppe di nuovo la lettera, di cui aveva scritto le ultime righe sotto l'impulso d'un improvviso stordimento.

«Sì,» pensò, «io sono troppo vicino alle stelle... e non vedo l'abisso dove ineluttabilmente devo cadere... No, no, no! – disse poi a voce alta, disperatamente, scuotendo la testa. – Perché mi ostino? Essa *può essere* mia madre, e non si rivela a me per continuare a vivere nel vizio!

Egli singhiozzava senza lagrime, balbettando parole sconnesse e scuotendo follemente il capo; ma ad un tratto balzò in piedi, pallido, rigido, con gli occhi vitrei.

– Bisogna uscirne, bisogna che io sappia. Ma perché questa lampada accesa, perché questi quadretti, perché le continue preghiere? Ebbene, appunto *per ciò*. Ma io ti saprò smascherare, anima perduta, io ti ucciderò!

I suoi occhi balenavano d'odio, ma all'improvviso tremò, si lasciò nuovamente cadere seduto e batté la fronte sul tavolo: oh, avrebbe voluto spaccarsi la testa, non pensare più, dimenticare, annullarsi...

Si sentì vile, gli parve d'essere viscido e nero; d'essere carne della carne venduta di sua madre, anch'egli delinquente, misero, abbietto. Ricordi tumultuosi gli passarono nella mente; rammentò i generosi propositi tante volte accarezzati, il sogno di *cercarla* e di *redimerla*, la pietà infinita per l'incoscienza e la irresponsabilità di *lei*, l'orgoglio che egli provava nel sentirsi così pietoso, la sete di sacrifizio...

Tutto menzogna. Basta un vago indizio, dato da una vecchia rimbambita, per ridestargli nell'anima una tempesta di fango, e suggerirgli l'idea del delitto!

Tutto illusione, tutto sogno in «questa cosa strana» che è

la vita.

– E se fosse illusione anche ciò che penso adesso? Se io mi ingannassi? Se Maria non fosse *lei*? Ebbene, se non Maria è un'altra, – concluse disperato; – vicina o lontana, ella esiste e mi chiama, ed io devo ritornare sui miei passi, ricominciare, ritrovarla, viva o morta. Oh, fosse morta!

Attese il ritorno della padrona, e per calmarsi cercò di analizzare la strana passione che lo tormentava, ripetendo a se stesso che la maggior sua pena proveniva dal crudele contrasto dei due esseri che formavano lo sdoppiamento del suo *io*.

Uno di questi due esseri era un bambino fantastico, appassionato e triste, col sangue malato; era ancora lo stesso bambino che scendeva la montagna natia sognando un mondo misterioso; lo stesso che nella casa del mugnaio aveva per lunghi anni meditato la fuga senza compierla mai; lo stesso che a Cagliari aveva pianto credendo che Maria Rosa potesse essere sua madre: l'altro essere, normale e cosciente, cresciuto accanto al bambino incurabile, vedeva la inconsistenza dei fantasmi e dei mostri che tormentavano il suo compagno, ma per quanto combattesse e gridasse non riusciva a liberarlo dalla sua ossessione, a guarirlo dalla sua follia.

Una lotta continua, un crudele contrasto agitava notte e giorno i due esseri; e il bambino fantastico e illogico, vittima e tiranno, riusciva sempre vincitore. Egli voleva sapere, voleva scoprire, voleva raggiungere il suo intento; e soffriva della vanità della sua ricerca e della speranza di arrivare al suo scopo. Molte volte Anania si era chiesto se, libero dall'amore per Margherita, egli avrebbe sofferto egualmente in questa sua triste ricerca. E sempre s'era risposto di sì.

La Obinu rientrò verso sera.

– Signora Maria, – disse Anania, aprendo l'uscio, – venga; devo dirle una cosa.

Ella entrò e si buttò a sedere accanto a lui: ansava per le scale salite di corsa, era insolitamente rossa, con la fronte lucente di sudore.

– Perché sta al buio? Che cosa ha da dirmi, signor Anania? Si sente male?

La sua voce era tranquilla: e di nuovo egli sentì cadere i suoi sospetti, e gli parve ridicolo fare una scena a quella donna stanca che doveva apparecchiare la tavola per i suoi pensionanti.

CAPITOLO V

Era vicino il giorno della partenza.

– Zia Varvara, – diceva lo studente alla vecchia serva che preparava il caffè, – come sono felice! Fra pochi giorni... addio! Mi pare di aver le ali. Adesso salto sulla finestra, faccio zsss... e via, spicco il volo e sono in Sardegna.

– Aaah! – gridò la vecchia, comicamente spaventata. – Non montare sulla finestra, cuore mio! Bada che caschi...

– Ebbene, datemi una tazza di caffè, allora! Come è buono il vostro caffè! Solo mia madre, a Nuoro, riesce a farlo altrettanto buono. Volete venire con me, a Nuoro?

La vecchia sospirò: ah, se non ci fosse stato il mare!

– Sei molto ricco?

– Eh, altro!

– Quante *tanche* hai?

– Sette od otto, non ricordo bene.

– E alveari ne hai? E servi pastori?

– Tutto, tutto, zia Varvara, ho tutto!

– Ma allora perché studi?

– Perché la mia innamorata vuole ch'io diventi dottore.

– E chi è la tua innamorata?

– La figlia del barone di Baronia.

– Ah, vivono ancora i baroni di Baronia? Io ho sentito narrare che nel loro castello s'aggirano i fantasmi. Una volta un taglialegna passò la notte sotto le mura del castello e vide una dama con una lunga coda d'oro che pareva una cometa. Oh, Nostra Signora mia del Buon Consiglio, tu mi rovini...

bada che ti farà male tutto questo caffè!

– Raccontate dunque, zia Varvara. Quando il taglialegna vide la dama cosa fece?

Zia Varvara raccontava. Confondeva le leggende del castello di Burgos con le leggende del castello di Galtellì, mischiava ricordi storici, diventati oramai tradizioni popolari, con avvenimenti accaduti durante la sua lontana infanzia.

– E i *nuraghes*, poi! Quanti tesori nascosti! Sai, quando i mori venivano in Sardegna per rapire le donne e gli armenti, i Sardi nascondevano le monete nei *nuraghes*.

Anania pensava a suo padre, che anche ultimamente gli aveva scritto pregandolo di visitare i musei «dove si conservano le antiche monete d'oro».

– Una volta, – ricominciava zia Varvara, – io andai a cogliere spighe intorno ad un *nuraghe*; mi ricordo come fosse oggi. Avevo la febbre, e verso sera dovetti coricarmi fra le stoppie, aspettando che passasse qualche carro che mi conducesse in paese. Ed ecco cosa vedo. Il cielo, dietro il *nuraghe*, era tutto color di fuoco: pareva un drappo di scarlatto; ad un tratto un gigante sorse sul *patiu* [22] e cominciò a cacciar fumo dalla bocca. In breve tutto il cielo si oscurò. Che paura, Nostra Signora mia del Buon Consiglio! Ma ad un tratto vidi San Giorgio con in testa la luna piena, ed in mano una *leppa* lucente come l'acqua. *Tiffeti, taffati!* – concluse la vecchia, roteando un coltello da cucina. – San Giorgio tagliò la testa al gigante, e il cielo ritornò sereno.

– Era la febbre.

– Ebbene, sarà stata la febbre, ma io vidi il gigante e Santu Jorgj: sì, li vidi con questi occhi.

---

[22] *Patiu*: Il cortile, o meglio una specie di terrapieno che circonda quasi tutti i *nuraghes*.

Anania ascoltava con piacere i suggestivi racconti di zia Varvara. Sentiva, nelle parole nostalgiche della vecchia esiliata, l'aroma della terra natia, il soffio carico delle essenze selvagge dell'Orthobene e del Gennargentu.

– Ah, come mi divertirò, queste vacanze! – diceva alla vecchia. – Voglio recarmi a tutte le feste, voglio visitare il mio paesello natio: voglio salire sul Gennargentu, su Monte Rasu, sui monti di Orgosolo.

– E lei non viene più in Sardegna? – chiese una sera a Maria Obinu.

– Io? – ella rispose, un po' cupa. – Mai più!

– Perché? Venga qui alla finestra, signora Maria, guardi che bella luna! Ebbene, non le piacerebbe fare un pellegrinaggio alla Madonna di Gonare, così, con una luna splendida? Salire a cavallo piano piano, pei boschi, pei dirupi, avanti, sempre avanti, mentre la chiesetta si disegna sul cielo, in alto, in alto, in alto...

Maria scuoteva la testa con indifferenza; zia Varvara, al contrario, sussultava tutta e sollevava gli occhi, quasi per cercare con lo sguardo la chiesetta campeggiata sull'azzurro tenero del cielo lunare, in alto, in alto, in alto!...

– Salvo lei e le persone che le vogliono bene... – maledì Maria, – e salvo le chiese e i devoti di Maria Santissima!... ma il fuoco passi per la Sardegna prima che io ci ritorni.

Anania interrogava spesso zia Varvara sul passato di Maria, e sul perché dell'odio di questa per il paese natio.

– Ah, cuoricino mio, ella ha ben ragione! Laggiù l'hanno assassinata...

– Ma se è ancora viva, zia Varvara!

– Ah, tu non sai! È meglio assassinare una donna che tradirla...

Egli pensava a sua madre, e il dubbio, la chimera e il sogno lo riafferravano tutto.

– Zia Varvara, voi avete detto che ella è stata tradita da
un signore... Ditemi, dunque, come si chiama quel signore...
cercate di saperlo... Ditemi, ha delle carte la signora Maria?
Io potrei aiutarla, cercare il suo seduttore.

– Perché?

– Perché la aiuti...

– Ma essa non ha bisogno d'aiuto: ha dei soldi, sai! Lasciala in pace, piuttosto, perché ella non vuole che si ricordi
la sua sventura. Non una parola, sai! Mi strangolerebbe se
sapesse che io parlo di lei con te...

– E dei suoi figli non si sa niente?

– Ma pare sia una figlia, solo. Credo stia coi parenti di lei.
Maria manda spesso denari, in Sardegna.

Ma Anania non abbandonava l'idea che Maria e Olì potes-
sero formare la stessa persona.

– Eppure bisogna sapere, – pensava, camminando distratto
per le vie animate da una folla sempre più scarsa. – Se non è
lei perché mi tormento? Ma dove, dove è lei? Che fa? È vicina o lontana? Al fragore della città, a questo rombo che mi
sembra la voce di un mostro dalle mille e più mila teste, è me-
scolato il respiro, il gemito, il riso di lei? E se non qui, dove?

Una notte egli ebbe un po' di febbre, e nell'incubo gli
parve di vedere più volte la figura di Maria curva sul suo
guanciale. Era delirio o realtà? Il chiarore della lampada ri-
schiarava la camera. Egli vedeva altre figure fantastiche, ma
pensava «ho la febbre» e solo la figura di Maria Obinu gli
sembrava reale.

Visioni apocalittiche sorgevano, s'incalzavano, si mescola-
vano, sparivano, come nuvole mostruose, intorno a lui. Fra le
altre cose egli vedeva il *nuraghe* col gigante ed il San Giorgio
del sogno febbrile di zia Varvara; ma la luna si staccava dalla

figura del Santo e volava sul cielo; altre due lune, rosse e immense, la seguivano. Era imminente un cataclisma. Una folla enorme si pigiava su una spiaggia di mare in tempesta. Le onde erano cavalli marini che lottavano contro spiriti invisibili. Ad un tratto un urlo salì dal mare, Anania sussultò d'orrore, aprì gli occhi e gli parve di averli azzurri.

– Che stupidaggini! – pensò. – Ho la febbre.

Maria Obinu riapparve nella camera, si avanzò, silenziosa, si curvò sul lettuccio. Allora Anania cominciò a delirare.

–Ti ricordi, mamma, tu mi insegnavi la piccola poesia:

> *Luna luna*
> *porzedda luna.*

Perché non vuoi dirmi che sei la mia mamma, tu? Dimmelo dunque; tanto io lo so, che tu sei la mia mamma, ma devi dirmelo anche tu. Ricordi l'amuleto? Possibile che tu non ricordi quella mattina, quando scendevamo... e il fringuello cantava fra i castagni umidi e le nuvole volavano via dietro il monte Gonare? Ma sì che ti ricordi! dimmelo dunque... non aver paura... Io ti voglio bene, vivremo assieme. Rispondi.

La donna taceva. Il sofferente fu assalito da un vero spasimo di tenerezza e d'angoscia.

– Madre... madre, parla; non farmi soffrire oltre: sono stanco ormai. Se tu sapessi che pena! Tu sei Olì, non è vero? È inutile che tu dica il contrario; tu sei Olì. Che cosa hai fatto sinora? Dove sono le tue carte? Ebbene, non parliamo del passato; tutto è finito. Ora non ci lasceremo più... ma tu vai via? No, no, Dio, aspetta... non andartene...

E si sollevò sul letto, con gli occhi spalancati, mentre la figura si allontanava lentamente e scompariva...

**

Soltanto pochi minuti prima di partire prese la solenne decisione di lasciare in sospeso, fino al ritorno, tutte le ricerche e tutti i vani progetti. Si sentiva stanco, disfatto; il caldo, gli esami, la febbre, le fantasticherie lo avevano esaurito.

– Mi riposerò, – pensava, preparando rapidamente la valigia e ricordando i lunghi preparativi della sua prima partenza da Nuoro. – Ah, quanto vorrò dormire queste vacanze! Non voglio diventare nevrastenico. Salirò sulle montagne natie, sul Gennargentu vergine selvaggio. Da quanto tempo sogno quest'ascensione! Visiterò la vedova del bandito, il fraticello Zuanne, il figlio del fabbricante di ceri. E il cortile del convento?... E quel carabiniere che cantava

a te questo rosario?

Il pensiero poi di riveder fra poco Margherita, di immergersi tutto nel fresco amore di lei come in un bagno profumato, gli dava una felicità così intensa che lo faceva spasimare.

Pochi momenti prima della partenza zia Varvara gli consegnò un piccolo cero, perché lo offrisse per lei alla Basilica dei Martiri, a Fonni, e Maria gli diede una medaglia benedetta dal pontefice.

– Se lei non la vuole, miscredente, la porti alla sua mamma, – gli disse, sorridendo, un po' commossa. – Addio, dunque, e buon viaggio e buon ritorno. Si ricordi che la camera resta a sua disposizione. E faccia da bravo, e mi scriva subito una cartolina.

– Arrivederci! – egli gridò dal basso della scala, mentre Maria, curva sulla ringhiera, lo salutava ancora con la mano.

– Figlio del cuoricino mio, – disse zia Varvara, accompagnandolo fino alla porta, – saluta per me la prima persona che incontri in terra sarda. E buon viaggio e ricordati del cero.

Lo baciò lievemente sulla guancia, piangendo, ed egli fu tentato di risalire le scale per vedere se anche Maria Obinu piangeva: poi sorrise della sua idea, abbracciò zia Varvara, chiedendole scusa se qualche volta l'aveva fatta stizzire, e si allontanò.

Tutto sparve; la vecchia che piangeva il suo esilio dalla patria diletta, la strada melanconica, la piazza in quell'ora deserta e ardente, il Pantheon triste come una tomba ciclopica; e Anania, col viso accarezzato dal vento di ponente, provò un senso di sollievo, come svegliandosi da un incubo.

CAPITOLO VI

Prima di scendere a cena, egli s'affacciò al finestruolo della sua cameretta e rimase colpito dal silenzio profondo che regnava nel cortile, nel vicinato, nel paese. Gli parve d'essere diventato sordo. Ma la voce di zia Tatàna risuonò nel cortile, sotto il sambuco.

– Nania, figlio mio, scendi.

Egli scese in cucina e sedette davanti al piccolo tavolo apparecchiato solo per lui, mentre i suoi «genitori», al solito, cenavano seduti per terra, intorno ad un canestro colmo di focacce e di vivande.

La cucina era sempre la stessa, povera e scura, ma pulita, col focolare nel centro, i muri adorni di spiedi e di taglieri, di grandi canestri, di vagli e di setacci e d'altri arnesi per pulir la farina; in un angolo c'erano due sacchi di lana colmi d'orzo; accanto alla porticina spalancata stava appesa la *tasca* di cuoio per le sementi e le provviste da campagna del contadino.

Un porchetto grugniva lievemente e sbuffava e sospirava, legato al sambuco del cortile.

Un gattino rossastro andò tranquillamente a mettersi accanto al piccolo tavolo, e cominciò a sbadigliare, sollevando i grandi occhi gialli verso Anania. Egli si guardava attorno quasi con stupore. Ah, nulla era mutato; eppure egli provava l'impressione di trovarsi per la prima volta in quell'ambiente, con quel contadinone dagli occhi ancora fosforescenti e i lunghi capelli oleosi, e con quella graziosa vecchia, grassa e bianca come una colomba.

– Finalmente siamo soli, – disse Anania *grande*, che mangiava l'insalata prendendola e stringendola fra due pezzi di focaccia. – Ora non ti lasceranno più in pace, vedrai! Atonzu di qua, Atonzu di là. Sì, oramai tu sei un uomo importante, perché sei stato a Roma. Anche io quando tornai dal servizio militare...

– Eh, che paragoni son questi! – protestò un po' scandolezzata zia Tatàna.

– Ebbene, lasciami dire! Mi ricordo che provavo difficoltà a parlare in dialetto. Mi pareva d'essere in un mondo nuovo!

Lo studente guardò suo padre e sorrise.

– Anch'io! – disse.

– Oh, meno male! Io però, dopo, mi abituai di nuovo, mentre fra tre giorni tu sarai stufo di restare in questo paese pettegolo... e... e...

La vecchia lo guardò corrugando le sopracciglia, ed egli cambiò discorso.

– Che c'è dunque? Raccontatemi: che cosa dicono di me? – domandò Anania.

– Ma niente, ma niente! Lascia gracchiare le cornacchie... – rispose la vecchia.

Egli si turbò; per un momento dubitò che si sapesse a Nuoro qualche cosa di Maria Obinu. Depose la forchetta attraverso il piatto e dichiarò che non avrebbe continuato a mangiare se non parlavano...

– Come sei impetuoso! Sempre tu, – osservò la vecchia. – Diceva re Salomone che l'uomo impetuoso è simile al vento...

– Oh, c'è ancora re Salomone! – disse Anania con voce acerba.

La vecchia tacque, addolorata: il marito la guardò, poi guardò Anania e volle castigarlo:

– Re Salomone diceva sempre la verità. – Indi aggiunse:

– Eh, dicono a Nuoro che tu fai all'amore con Margherita Carboni.

Anania arrossì: riprese la forchetta, ricominciò a mangiare e borbottò:

– Che stupidi!

– Senti, no, non sono stupidi, – riprese il mugnaio guardando entro il bicchiere a metà colmo di vino. – Se la cosa è vera, hanno ragione di mormorare, perché tu devi dichiararti francamente al padrone e dirgli: «Benefattore mio, io oramai sono un uomo; mi perdoni se finora le ho nascosto le mie speranze come le ho nascoste ai miei stessi genitori».

– Tacete! Voi non sapete nulla! – proruppe adirato ed infiammato il giovine.

– Ah, santa Caterina mia! – sospirò zia Tatàna, – lascialo dunque in pace quel povero ragazzo stanco. C'è sempre tempo a parlare di queste cose, e tu sei un contadino e sei un uomo ignorante che non capisce niente.

Il contadino bevette, scosse la mano per accennare «calma, calma», poi parlò con voce tranquilla:

– Sì, io sono ignorante e mio figlio è istruito, va bene. Ma io sono più vecchio di lui. I miei capelli, ecco qui (se ne tirò un ciuffo sugli occhi, cercò e strappò un capello bianco), cominciano ad incanutire. L'esperienza della vita, moglie mia, rende l'uomo più istruito d'un dottore. Ebbene, figlio mio, io ti dico una sola cosa: interroga la tua coscienza e vedrai che essa ti risponderà che non si deve ingannare il proprio benefattore.

Lo studente batté sul tavolo il bicchiere, così forte che il gattino trasalì.

– Sì, figlio, – proseguì il contadino, ricacciandosi indietro sulla testa i capelli oleosi, – tu devi andare dal padrone, devi baciargli la mano e dirgli: «Io sono figlio di contadini, ma per grazia vostra e del mio talento diventerò dottore, ricco e signore. Io amo Margherita e Margherita mi ama: io la renderò tanto felice, che essa dimenticherà di essersi abbassata a scegliere per isposo il figlio del suo servo. La Signoria Vostra ci benedica, nel nome del Padre, del Figliuolo e dello Spirito Santo».

– E se invece di benedirlo lo scaccia via come un cane? – domandò la vecchia.

– Va là, femminuccia, – esclamò il contadino, versandosi ancora da bere, – il tuo re Salomone diceva che le donne non sanno quel che dicono! Se io invece parlo ho già pesato le mie parole. Il padrone benedirà.

– Ma se non è vero niente! – proruppe Anania, pieno di gioia. Si alzò, s'avvicinò alla porta e si mise a fischiare: non capiva più nulla, sentiva il cuore battergli forte. «Il padrone benedirà!» Se il contadino parlava così doveva avere le sue ragioni. Ma perché Margherita non aveva mai accennato alle buone disposizioni di suo padre? E se le ignorava lei, come poteva conoscerle il servo?

– La vedrò fra poco, – pensò Anania, e tutti i suoi dubbi, le ansie, la stanchezza del viaggio, la gioia stessa delle nuove speranze, tutto dileguò davanti al dolce pensiero: «La vedrò fra poco».

Al lieve tocco della sua mano il portone s'aprì silenziosamente.

– Ben tornato, – mormorò la serva che favoriva la corrispondenza dei due innamorati. – *Ella* verrà subito.

– Come stai? – egli chiese con voce commossa. – Ecco, prendi un ricordo che ti ho portato da Roma.

– Ma che cosa hai fatto! – ella disse, prendendo subito

l'involtino. – Ti disturbi sempre, tu! Aspetta.

Egli attese, appoggiato al muro ancora tiepido del cortile, sotto il cielo velato della notte silenziosa. Margherita apparve, ma più che vederla, egli la *sentì*: sentì la guancia liscia e calda, il cuore balzante contro il suo, la vita agile, le labbra molli, e gli sembrò di svenire.

Follemente, cominciò a baciarla sui capelli, sul volto, accecato da una inestinguibile sete di baci.

– Basta e basta! – ella disse, riavendosi per la prima. – Come stai, dunque? Sei guarito?

– Sì, sì! Ah, Dio, finalmente! Senti come mi batte il cuore. Ah, – proseguì, respirando a stento, e stringendosi la mano di lei al petto, – non posso neppure parlare... E neppure ti vedo! Ah, se tu portassi un lume!

– Che dici, Nino! Ci vedremo poi domani; ora ci *sentiamo*, – ella rispose, ridendo piano piano, mentre sotto la palma della mano che Anania si premeva sul petto sentiva il cuore di lui palpitare convulso. – Come batte il tuo cuore! sembra quello d'un uccello ferito. Ma sei guarito davvero, dimmi?

– Guarito, guarito!... Margherita, dove sei? Ma siamo davvero assieme?

Egli cercava di distinguere i lineamenti di lei nell'oscurità della notte velata. Grandi nuvole nere passavano incessantemente sul cielo grigiastro; di tanto in tanto un lembo ovale di firmamento chiaro, circondato di cupe vaporosità, appariva come un viso misterioso, con due stelle rossastre per occhi, e pareva spiasse gl'innamorati. Anania sedette sulla panchina e attirò la fanciulla sulle sue ginocchia.

– Lasciami, – ella disse, – peso troppo; sono troppo grassa...

– Sei leggera come una piuma, – egli affermò. – Ma è dunque vero che ti ho con me? Ah, mi pare un sogno! Quante

volte ho sognato questo momento, che mi pareva non dovesse giungere più! Ed ora eccoci assieme, uniti, uniti, capisci,
uniti! Mi pare d'impazzire. Ma sei davvero tu, Margherita?
ma è proprio vero che ti ho qui, sul mio cuore? Parla, dimmi
qualche cosa, altrimenti mi par di sognare.

– Tocca a te raccontare. Io ti scrissi tutto, tutto; parla tu,
Nino; sai parlare così bene tu! Raccontami di Roma; parla tu,
io non so parlare... – ella mormorò, turbata.

– No, invece! no, tu sai parlare benissimo. Tu hai una voce
così dolce! Io non ho mai sentito una donna parlare come
parli tu...

– Non dir bugie...

– Ti giuro che non mentisco. Perché dovrei mentire? Tu
sei la più bella, tu sei la più gentile, la più dolce tra le fanciulle. Se tu sapessi come pensavo a te quando le mie padroncine,
a Roma, nei primi tempi, si buttavano addosso a me ed a Battista Daga! Mi pareva d'essere accanto a creature appestate,
e pensavo a te come a una santa, soave, pura, fresca e bella.

– Ma anche io, adesso...

– Non bestemmiare, Margherita, – egli proruppe. – Noi
siamo sposi: non è dunque vero che siamo sposi? Dimmi di sì.

– Sì.

– Dimmi che mi ami.

– Sì.

– Non *sì* soltanto. Dimmi così: Ti... amo!

– Ti... a... mo... Se non ti amassi sarei forse qui? – ella
chiese poi, animandosi. – Ti amo, sicuro! Io non so esprimermi, ma ti amo, forse più di quanto mi ami tu.

– Non è possibile! Ma anche tu mi ami, lo so, – egli riprese, – tu che sei bella e ricca...

– Ricca... chissà! E se non lo fossi?

– Sarei più contento.

Tacquero seri entrambi quasi dividendosi per seguire ciascuno il proprio pensiero.

– Sai dunque, – egli disse ad un tratto, timidamente, seguendo il filo delle sue idee, – mi han riferito che la tua
famiglia sa del nostro amore. È vero?

– Vero, – ella rispose, dopo breve esitazione.

– Ah, cosa mi dici? Tuo padre dunque non sarebbe contento?

Margherita esitò di nuovo; poi sollevò il capo e rispose con
freddezza: – Non lo so, – e dall'accento di lei Anania intuì
qualche cosa di triste, d'insolito; e la sua mente corse a *lei*,
al fantasma che forse si intrometteva fra lui e la famiglia di
Margherita.

– Senti, – disse, pensieroso, carezzandole distrattamente
le mani: – devi rispondermi con franchezza. Che cosa succede? Posso o no aspirare a te? Posso sempre sperare? Tu sai
bene quello che io sono: un povero, un beneficato dalla tua
famiglia, il figlio d'un tuo servo.

– Ma che cosa dici! – ella esclamò, impaziente più che
addolorata. – Tuo padre non è affatto un servo, e quando lo
fosse è un uomo onorato e basta!

– Un uomo onorato! – ripeté fra sé Anania, colpito nell'anima. – Oh, Dio, ma *lei* non è una donna onorata. Margherita, –
insisté sforzandosi invano a restar calmo, – bisogna che tu mi
apra tutta l'anima tua, e che mi guidi e mi consigli. Dimmi tu
che cosa devo fare. Devo aspettare? Devo agire? Il mio orgoglio e la mia coscienza mi imporrebbero di presentarmi a tuo
padre e dirgli tutto: altrimenti egli può considerarmi come un
traditore, un uomo senza onore e senza lealtà. Però io seguirò
i tuoi consigli, tutto fuorché perderti. Sarebbe la mia morte
questa, la mia morte morale. Io sono ambizioso, vedi, e lo dico
altamente, perché, ove tu non venga a mancarmi, la mia non

sarà un'ambizione sterile. Tu sei lo scopo della mia vita! Se tu mi venissi a mancare, io non avrei più forza né volontà di far bene... Se tu però mi dicessi: «Io amo un altro», ebbene, io...

– Basta! Taci ora! – comandò Margherita. – Sei tu che bestemmi, adesso! Piove?

Una goccia d'acqua era caduta sulle loro mani intrecciate. Entrambi sollevarono il viso e guardarono le nuvole che ora passavano più lente, più dense, mostri nebulosi e torpidi.

– Senti, dunque, – disse Margherita, parlando un po' distratta e frettolosa, come per paura che la pioggia interrompesse il convegno. – Noi non siamo più ricchi come prima. Gli affari di mio padre vanno male. Egli, poi, ha prestato denari a tutti quelli che glieli hanno chiesti e che... non glieli restituiranno mai. Egli è troppo buono. La nostra lite col comune di Orlei, quell'eterna lite per le foreste incendiate, va male per noi: se la perderemo, e purtroppo pare così, io non sarò più ricca.

– Perché non mi hai scritto mai questo?

– Perché dovevo scrivertelo? Eppoi io stessa, fino a pochi giorni fa, ignoravo certe cose. Oh, ma piove davvero! Vattene, adesso...

Si alzarono e si rifugiarono sotto la tettoia. I lampi brillarono fra le nuvole, e al loro chiarore violetto Anania poté finalmente veder Margherita, pallida come la luna.

– Che hai? Che hai? – chiese stringendola a sé. – Non aver paura dell'avvenire. Se non sarai più tanto ricca sarai però felice. Non temere.

– Oh no! Tremo perché mia madre, che ha paura dei fulmini, può alzarsi da letto. Vattene, adesso... – ella rispose, respingendolo dolcemente. – Vattene...

Egli dovette ubbidire, ma rimase un bel po' sotto il portone aspettando che la pioggia cessasse. Impeti di gioia gli illuminavano l'anima, a intervalli, violentemente, come la luce dei lampi illuminava la notte. Ricordò quel giorno di pioggia, a Roma, quando il pensiero della morte gli aveva solcato l'anima come il guizzo d'una folgore. Sì: il dolore e la gioia si rassomigliano: tutti e due bruciano.

Ma mentre si dirigeva a casa sua sotto gli ultimi spruzzi di pioggia, egli pensò:

– Come sono vile! Mi rallegro della sventura del mio benefattore. Che cosa lurida è il cuore umano!

L'indomani mattina per tempo scrisse a Margherita esponendole molti progetti, uno più eroico dell'altro. Voleva dare lezioni per proseguire gli studi senza essere oltre di peso al suo benefattore; voleva presentarsi al signor Carboni per fargli la domanda di matrimonio; voleva infine far capire alla famiglia di Margherita che egli sarebbe stato il suo conforto ed il suo orgoglio.

Mentre finiva di scrivere la lettera, davanti alla finestra aperta donde penetrava la fragranza delle campagne rinfrescate dalla pioggia notturna, sentì alle sue spalle uno scoppio di riso represso. Nanna, lacera e tentennante, con gli occhi pieni di lagrime e l'orribile bocca livida spalancata al riso, s'avanzava, con una tazza in mano.

– Buon giorno, Nanna, come va? Sei viva ancora?

– Buon giorno alla Vossignoria. Ecco che non mi è riuscito di sorprenderla! Ho chiesto in grazia a zia Tatàna di portarle il caffè. Eccolo qui. Ho le mani pulite, Vossignoria. Oh, che consolazione, che consolazione!

– Dov'è l'Eccellenza con cui parli? Dà qui il caffè, e dammi tue notizie.

– Ah, noi viviamo nelle tane, come bestie feroci che siamo. Come posso dare del tu alla Vossignoria, che è un sole risplendente?

– Oh, non sono più un confetto? – egli disse, sorbendo il caffè dall'antica chicchera filettata d'oro.

– Che tu sii benedetto!... Ah, mi scusi! Ah, ricorda la prima volta che ritornò da Cagliari? Sì, Margheritina aspettava alla finestra. Come la luna non può aspettare il sole?

Anania si alzò e depose la chicchera sul davanzale della finestra; poi respirò forte. Come si sentiva felice! Come il cielo era azzurro, come l'aria odorava! Che grandiosità nel silenzio delle umili cose, nell'aria non ancora sfiorata dal soffio e dal rombo della civiltà! Anche zia Nanna non era più la donna orribile e nauseante di un tempo; sotto l'involucro immondo di quel corpo nero e puzzante, palpitava un'anima poetica...

– Senti questi versi! – egli gridò agitando le braccia:

> Ella era assisa sopra la verdura,
> Allegra; e ghirlandetta avea contesta:
> Di quanti fior creasse mai natura
> Di tanti era dipinta la sua vesta.
>
> E come in prima al giovin pose cura
> Alquanto paurosa alzò la testa:
> Poi con la bianca man ripreso il lembo
> Levossi in piè con di fior pieno un grembo.

Nanna ascoltava, senza capire una parola, e apriva la bocca per dire... per dire... lo disse infine:

– Li ho sentiti altra volta.

– Da chi? – gridò Anania.

– ...Da Efes Cau!

– Non dire bugie; raccontami piuttosto tutto ciò che è accaduto a Nuoro durante quest'anno.

Nanna cominciò, ritornando ogni tanto a Margherita. Ella era la rosa delle rose il garofano, il confetto. E i suoi vestiti!

Oh, Dio non se n'erano visti mai di più meravigliosi: quando ella passava la gente la guardava come si guarda una stella filante. Un signore aveva incaricato lei, Nanna, di rubare il laccio della scarpa di Margherita; la serva della famiglia Carboni diceva che tutte le mattine la sua padroncina trovava sulla finestra lettere d'amore legate con nastrini azzurri...

– Ma la rosa è una sola e non può unirsi che al garofano... Ebbene, dammi qui la chicchera... ah! – concluse l'ubriacona, dandosi un pugno sulla bocca. – È inutile, perdio! io ho visto la Vossignoria quando aveva la coda ed ora non posso abituarmi a darle del lei...

– Ma quando è che io avevo la coda? – gridò Anania minaccioso.

La donna scappò, tentennando, ridendo, turandosi la bocca; e dal cortile disse, rivolta alla finestra di Anania:

– La coda della camicia...

Egli continuò a minacciarla; ella continuò a barcollare ed a ridere. Il porchetto, slegatosi, andò a fiutarle i piedi; una gallina saltò sul collo del porchetto, piluccandogli le orecchie; un passero si posò sul sambuco, dondolandosi elegantemente sull'estremità d'una fronda.

E lo studente si sentì così felice che si mise a cantare altri versi del Poliziano:

> Portate, venti, questi dolci versi
> Dentro all'orecchio della Ninfa mia...

E gli sembrava di essere agile e leggero come il passero sull'estremità della fronda. Più tardi andò nell'orto, dove poté consegnare alla serva di Margherita la lettera già preparata.

L'orto ancora umido per la pioggia notturna esalava un forte odore di terra bagnata e di vegetazione secca. I bruchi avevano ridotto i cavoli a mazzi di strani merletti grigiastri; le altee, filogranate di bocciuoli e adorne di fiori violacei senza stelo, tagliavano lo sfondo azzurro del cielo coi loro disegni bizzarri. Sull'orizzonte perlato le montagne sorgevano vaporose, coi picchi più lontani immersi in nuvole d'oro. In un angolo dell'orto Anania trovò Efes Cau ubriaco, invecchiato, ridotto ad un mucchio di stracci, e lo toccò col piede: l'infelice sollevò il volto, che pareva una maschera di cera affumicata, aprì un occhio vitreo e mormorò il suo verso favorito:

Quando Amelia sì pura e sì candida...

poi ricadde, senza aver riconosciuto lo studente. Più in là zio Pera, cieco del tutto, si ostinava ad estirpare le male erbe, che riconosceva al tatto e all'odore.

– Come state? – gridò Anania.

– Sono morto, figlio mio, – rispose il vecchio. – Non vedo più. Non sento più.

– Coraggio, guarirete...

– Nell'altro mondo, nel mondo della verità, dove tutti guariremo, dove tutti vedremo e sentiremo; ah, figlio mio, non importa, quando io vedevo con gli occhi del corpo la mia anima era cieca; adesso invece *io vedo*, vedo con gli occhi dell'anima. Ma raccontami: hai veduto il papa?

Uscito dall'orto Anania girovagò per il vicinato: sì, quel cantuccio di mondo era sempre lo stesso; ancora il pazzo, seduto sulle pietre addossate ai muri cadenti, aspettava il passaggio di Gesù Cristo, e la mendicante guardava di sbieco la porta di Rebecca, sul cui limitare la misera creatura tremava di febbre e fasciava le sue piaghe; e maestro Pane fra le sue ragnatele segava le tavole e parlava fra sé ad alta voce, e nella bettola la bella Agata civettava coi giovani e coi vecchi, ed

Antonino e Bustianeddu si ubriacavano e di tanto in tanto scomparivano per qualche mese e ricomparivano con volti un po' sbiancati dal *servizio del re*.[23] E zia Tatàna preparava ancora i dolci per il suo diletto «ragazzino», sognando il giorno della sua laurea e già numerando col desiderio i *presenti* che amici e parenti gli avrebbero inviato; ed Anania *grande*, nei giorni di riposo, ricamava una cintura di cuoio, seduto in mezzo alla strada, e pensava ai tesori nascosti nei *nuraghes*.

No, niente era cambiato; ma lo studente vedeva le cose e gli uomini come ancora non li aveva veduti, e tutto gli sembrava bello, d'una bellezza triste e selvaggia. Passava e guardava come uno straniero; e nel quadro di quei tuguri neri e cadenti, in mezzo a quelle figure semplici primitive, gli sembrava di essere un gigante di passaggio. Sì, gigante ed uccello: gigante per la sua superiorità, uccello per la sua gioia.

*
**

Agli ultimi di agosto, dopo vari convegni, Margherita permise che Anania rivelasse il loro amore al signor Carboni.

– Dunque posso sperare! – egli esclamò colpito, quasi avesse fino a quel momento disperato. – È proprio vero? Sarà vero?

– Ma sìii! – ella disse, vezzeggiando, accarezzandogli i capelli con affetto quasi materno.

Egli la strinse a sé, chiuse gli occhi, nascose il viso sull'omero di lei, concentrandosi per *vedere* tutta l'immensità della sua fortuna. Era mai possibile? Margherita sarebbe diventata sua? Sua davvero? Sua nella realtà come lo era sempre stata nel sogno? Ricordò il tempo in cui egli non osava confessare il suo amore neppure a se stesso: ed ora?

---

[23] *A servizio del re*: Il carcere.

– Quante cose succedono nel mondo! – cominciò a pensare. – Ma che cosa è il mondo? Che cosa è la realtà? Dove finisce il sogno e dove comincia la realtà? E non può essere tutto sogno? Chi è Margherita? Chi sono io? Siamo vivi? E che cosa è la vita? Che cosa è questa gioia misteriosa che mi solleva tutto, come la luna solleva le onde? E il mare che cosa è? *Sente* il mare? È vivo? E la luna che cosa è? Ed è vero tutto questo?

Sollevò la testa e sorrise delle sue domande. La luna illuminava il cortile, e nella notte diafana il canto tremulo dei grilli faceva pensare ad un popolo di folletti minuscoli, ciascuno dei quali suonasse un violino scordato, accompagnando con quel motivo monotono il mormorio delle foglie umide di rugiada.

Tutto era sogno e tutto era realtà. Anania credeva di vedere i folletti suonatori e nello stesso tempo scorgeva distintamente la camicetta rosea, la catenella e gli anellini di Margherita. Le strinse il polso, premé un dito sulla perla di uno dei suoi anelli, le guardò le unghie, distinguendone le macchiette bianche: sì, tutto era vero, visibile, tangibile. La realtà ed il sogno non avevano confine: tutto si poteva vedere, toccare, raggiungere, dal sogno più folle all'oggetto meno visibile...

In quel momento pareva ad Anania che, come toccava l'anellino di Margherita, avrebbe potuto, stendendo il braccio, sfiorare la luna o stringere nel pugno il canto dei grilli...

Ma poche parole pronunziate da Margherita gli segnarono nuovamente i confini tra il sogno e la realtà.

– Cosa dirai a mio padre? – ella chiese, sempre un po' canzonandolo. – Dimmi dunque che cosa gli dirai. «Signor padrino... io... e... e sua figlia... sua figlia Margherita... fa... facciamo una... una cosa...».

Egli arrossì: capì che non avrebbe mai avuto il coraggio di presentarsi al padrino per rivelargli il suo amore.

– Io non potrò mai... – confessò subito. – Gli scriverò.

– Oh, questo poi no! – disse Margherita, facendosi seria.
– Bisogna assolutamente parlargli: egli si piegherà di più. Se non puoi tu, mandagli qualcuno.

– Ma chi?

Margherita disse timidamente:

– *Tua madre*.

Egli capì che ella alludeva a zia Tatàna, ma il suo pensiero corse all'*altra* e gli parve che anche Margherita ci pensasse. L'ombra lo riavvolse: ah, sì, la realtà ed il sogno erano ben divisi da terribili confini: un vuoto, eguale a quello che divide la terra dal sole, li separava.

– Tuttavia... – egli pensò, – se potessi in questo momento parlare! Questo è l'attimo: se me lo lascio sfuggire forse non lo ritroverò mai più. Il vuoto si può varcare...

Aprì le labbra. Sentì il cuore battergli forte, ma non poté parlare: l'attimo passò.

Qualche sera dopo zia Tatàna, molto sbalordita, ma altrettanto orgogliosa, e fiduciosa nell'aiuto del Signore, dopo aver lungamente pregato e *fatta la salita* trascinandosi ginocchioni dalla porta all'altare della chiesa del Rosario, fece la sua ambasciata.

Anania rimase a casa, aspettando con ansia il ritorno della vecchia. Per un bel po' stette sdraiato sul letticciuolo, leggendo un libro di cui non ricordava assolutamente il titolo.

– Ma io sono tranquillo! – pensava. – Che posso temere? La cosa è più che sicura...

Intanto leggeva, senza capire una sillaba, e il suo pensiero seguiva la vecchia.

– Zia Tatàna cammina lentamente, tutta compresa dalla so-

lennità della sua missione. Ha anche un po' di paura, la buona
vecchia colomba candida e soave; ma, pazienza! Con l'aiuto del
Signore e di Santa Caterina e di Maria Santissima del Rosario
qualche cosa si farà... Per l'occasione ella ha indossato le sue
vesti più belle; la *tunica* orlata da tre nastrini, verde - bianco -
verde, – il corsetto di broccato verdolino, la cintura d'argento,
il grembiule ricamato, la benda tinta con lo zafferano. E non
ha dimenticato gli anelli, no; i grandi anelli preistorici, ornati
di cammei, di pietre gialle e verdi, di corniole incise. Così,
grave e adorna, simile ad una vecchia madonna, ella si avan-
za lentamente, salutando con solenne compostezza le persone
che incontra. Cade la sera; l'ora sacra a queste gravi missioni
d'amore. Al cader della sera la paraninfa è sicura di trovare a
casa il capo della famiglia al quale reca il messaggio arcano.

Zia Tatàna va... va sempre più grave e lenta... Pare che
abbia paura di arrivare; e giunta al fatale limite, davanti al
portone chiuso, silenzioso e scuro come la porta del destino, esita un momento, si accomoda gli anelli, il nastro del
grembiule, la cintura; cinge il mento col lembo della benda,
e infine si decide e batte al portone...

Parve ad Anania che quel colpo si ripercotesse sul suo petto. Balzò in piedi, sollevò la candela e si guardò nello spec-
chio.

– L'ho detto io! Sono pallido. Guarda che stupido! Ebbene, non voglio pensarci più...

S'affacciò alla finestra. Nel cortile chiuso, illuminato
dall'ultimo barlume del giorno, il sambuco immobile disegnava una macchia scura. Silenzio perfetto. Le galline dormivano già, ed anche il porchetto dormiva. Le stelle scatu-
rivano, scintille d'oro, fra la cenere azzurrognola del caldo
crepuscolo. Al di là del cortile, nella straducola, passava un
piccolo mandriano a cavallo, cantando in dialetto:

Inoche mi fachet die
Cantende a parma dorata...

Anania pensò alla sua infanzia, alla vedova, a Zuanne. Che faceva il fraticello sul suo alto convento?

– E dire che voleva diventare un bandito! Sarei curioso di vederlo! Lo vedrò. Entro questo mese mi recherò certamente a Fonni.

Ah! D'un colpo il suo pensiero tornò là, dove si decideva il suo destino. – La vecchia colomba è nello studio semplice e ordinato del signor Carboni. Ecco, quella è la scrivania dove una sera lo studente ha frugato e... Oh, Dio, è mai possibile che egli abbia commesso una così vile azione? Sì, quando si è ragazzi non si è coscienti; tutto è facile, tutto è possibile. Come siamo pazzi, da fanciulli! Potremmo anche commettere un delitto con la massima incoscienza! Basta; zia Tatàna è là. Ed anche il signor Carboni è là, grasso, tranquillo, con la catena d'oro scintillante attraverso il petto.

– Ma che cosa dunque dice quella vecchietta? – pensò Anania, sorridendo nervosamente. – Sarei curioso di vedere come se la cava. S'io potessi esser là, non veduto! Se avessi l'anello che rende invisibili; ecco, lo infilerei al dito e... via... subito là... Ma se il portone fosse chiuso, come farei? Ebbene, picchierei, diamine! Mariedda aprirebbe, stizzita contro i ragazzi che picchiano al portone e scappano. Io... Ma come sono pazzo a pensar queste cose puerili! Uff! non voglio pensarci più!...

Si tolse dalla finestra, prese la candela, scese in cucina, andò a sedersi davanti al focolare acceso. Ma d'un tratto ricordò che era d'estate e si mise a ridere: poi guardò a lungo il gattino rosso che stava davanti al forno, immobile e pronto, coi baffi irti e la coda tesa, aspettando il passaggio di un topo.

– No, – disse Anania, pensando allo strazio del topolino,

– per stasera non te lo lascio prendere: neppure un topolino, deve stasera soffrire in questa casa. *Usciu, usssciuu!*,[24] – gridò balzando in piedi e correndo verso il gattino che vibrò tutto e saltò sopra il forno.

Sempre agitato da una inquietudine nervosa, Anania si mise a camminare su e giù per la cucina; di tanto in tanto palpava i sacchi ricolmi d'orzo e mormorava:

– Mio padre non è poi tanto povero; egli è un mezzadro del signor Carboni, non il suo servo. No, egli non è povero; ma non potrebbe certo restituire quello... che spendo io, se non avvenisse ciò che... deve avvenire. Ma avverrà poi? Che cosa si combina in questo momento?

Ecco, zia Tatàna ha parlato... Che ha detto? Ah, no, no, no, non bisogna neppure pensarci... Bisogna piuttosto pensare alla risposta che darà, che dà, il benefattore... Che dirà egli, l'uomo più leale del mondo, sapendo che il suo protetto ha osato tradire così la sua buona fede? Ecco, egli cammina pensieroso attraverso la stanza: zia Tatàna lo guarda, pallida, oppressa...

– Dio, Dio, che accade mai? – gemé Anania, stringendosi il capo fra le mani. Gli pareva di soffocare; uscì nel cortile, si sporse sul muricciuolo di cinta, attese, ascoltò... Niente, niente.

Solo, dopo un quarto d'ora circa, due voci risuonarono dietro il muricciuolo; poi una terza, una quarta: erano i vicini che si riunivano così ogni notte davanti alla bottega di maestro Pane, per godersi il fresco e chiacchierare.

– Nostra Signora mia, – diceva la voce stridula di Rebecca, – ho visto cinque stelle cadere sul cielo. Ah, ciò non è invano... Deve succedere qualche disastro...

– Che tu stii per mettere al mondo l'anticristo? – chiese la voce ironica di un contadino. – Dicono che deve nascere

---

24 *Usciu, usssciuu*: Voce per allontanare i gatti.

da un animale.

– L'anticristo lo metterà al mondo tua moglie, animale schifoso! – rispose adirata la ragazza.

– Prenditi questa, garofano! – disse la bella Agata che mangiava rideva e parlava nello stesso tempo.

Il contadino cominciò a dire parole insolenti; il vecchio falegname s'irritò e gridò:

– Se non la finisci ti butto un sasso, faina pelata.

Ma il contadino proseguì nella sua bella impresa: allora le donne si allontanarono e andarono a sedersi sotto il muricciuolo del cortile, e zia Sorichedda – una vecchietta che quaranta anni prima era stata serva in casa dell'Intendente, – cominciò a raccontare per la millesima volta la storia della sua padrona.

– Era una marchesa. Suo padre era amico intimo del re di Spagna, e le aveva dato in dote mille scudi in oro. Quanto fanno mille scudi?

– E cosa sono mille scudi? – disse Agata con disprezzo. – Margherita Carboni ne ha quattro mila...

– No, – osservò Rebecca, – altro che quattro mila! Quaranta mila.

– Voi non sapete quel che dite! – gridò zia Sorichedda. – Mille scudi in oro non li possiede neppure don Franceschino.

– E andate! Siete rimbambita! – gridò Agata, accalorandosi. – Che cosa contano mille scudi? Se li ha Franziscu Carchide in suole di scarpe!

La questione diventò seria; le donne cominciarono a ingiuriarsi:

– Lo sai tu perché vanti il tuo Franziscu Carchide, questa immondezza rifatta!...

– Immondezza siete voi, vecchia peccatrice.

– Ah!

Foglia di gelso,
Chi la fa la pensa...

Anania ascoltava, e ad un tratto, nonostante l'inquietudine che lo agitava, scoppiò a ridere.

– Oh, – gridò Agata, affacciandosi al muricciuolo, – buona notte alla Vossignoria. Che cosa fai lì al buio, pipistrello? Fa vedere il tuo bel viso.

– Prego! – egli rispose, avvicinandosi e pizzicandola al braccio, mentre Rebecca, che all'udire la risata del giovane s'era accoccolata per terra, quasi volendo nascondersi, pizzicava Agata alla gamba.

– Al diavolo chi vi ha formati! – imprecò la bella ragazza. – Questo è un po' troppo! Lasciatemi o... svelo!

Ma i due la pizzicarono più forte.

– Ahi! ahi! Al diavolo! Rebecca, è inutile che tu faccia la gelosa... ahi! zia Tatàna stasera... è andata a chiedere... parlo o no? Ah!...

Anania si ritrasse, chiedendosi come mai la indiavolata Agata sapeva...

– Cuoricino mio, un'altra volta rispetta zia Agata! – ella disse sogghignando, mentre Rebecca, che aveva capito, taceva, impietrita, e zia Sorichedda domandava:

– Fammi il piacere, Nania Atonzu, dimmi, chi a Nuoro può avere mille scudi in oro?

Anche il contadino s'avvicinò e chiese:

– Dimmi, Nania, è vero che il papa ha settantasette donne ai suoi comandi?...

Anania non rispose, forse non intese neppure: vedeva una figura avanzarsi dal fondo della straducola e si sentiva venir meno. Era lei, la vecchia colomba messaggera, era lei che tornava portando fra le pure labbra, come un fiore di vita o di morte, la parola fatale.

Egli si ritirò e chiuse la porticina che dava sul cortile, mentre zia Tatàna rientrava dall'altra parte e chiudeva la porta di strada. Ella sospirava ed era ancora un po' pallida e oppressa; s'avvicinò al focolare, e i suoi primitivi gioielli, i suoi ricami, la cintura, gli anelli, scintillarono al riflesso del fuoco.

Anania le corse incontro e la guardò ansioso, e siccome ella taceva le domandò con impazienza:

– Che cosa vi hanno detto?

– Pazienza, figlio del Signore! Ora ti dirò...

– No, Dite subito. Mi vogliono?

– Sì! Ti vogliono, sì, ti vogliono! – annunziò la vecchia, aprendo le braccia.

Egli sedette, sbalordito, e si prese la testa fra le mani: zia Tatàna lo guardò e scosse la testa, mentre con le mani un po' tremule si slacciava la cintura.

– Mi vogliono! Mi vogliono! È mai possibile? – ripeteva fra sé Anania.

Davanti al forno il gattino aspetta ancora il passaggio del topo, e deve già sentire qualche rumore perché la sua coda freme: infatti, dopo un momento, Anania sente uno stridio, un piccolo grido di morte. Ma adesso la sua felicità è così completa che egli non ricorda più che nel mondo esiste il dolore.

La relazione particolareggiata di zia Tatàna gettò un po' d'acqua fredda su quel grande incendio di gioia.

La famiglia di Margherita non si opponeva all'amore dei due giovani, ma, naturalmente, non dava ancora un consentimento pieno, irrevocabile. Il «padrino» aveva sorriso, aveva battuto le mani e scosso la testa come per dire: «me l'hanno fatta quei due!» Aveva anche detto: «Fanno presto a metter le ali questi ragazzi!» ma poi era diventato serio e pensieroso.

– Ma, infine, che avete concluso? – gridò Anania, facendosi anch'egli serio e pensieroso.

– Che bisogna aspettare, Santa Caterina bella! Non hai ancora capito? Ma la padrona disse: «bisognerebbe interrogare anche Margherita». – «Eh, credo proprio che non occorra», rispose il padrino, battendo le mani. Io sorrisi.

Anche Anania sorrise.

– Abbiamo dunque concluso... Va via, gatto! – gridò zia Tatàna, tirando il lembo della tunica, sul quale il gattino s'era comodamente adagiato leccandosi i baffi con orribile soddisfazione. – Abbiamo concluso che bisogna aspettare. Il padrone mi disse: – Che il «fanciullo» pensi a studiare ed a farsi onore. Quando egli avrà un posto onorevole noi gli daremo la nostra figliuola: intanto si amino pure, e che Dio li benedica. – Ecco, tu ora cenerai, spero!

– Ma, infine, posso presentarmi in casa loro come fidanzato?

– Per adesso no: per quest'anno no! Tu corri troppo, *galanu meu!* La gente direbbe che il signor Carboni è rimbambito, se permettesse una tal cosa: bisogna che tu prenda la laurea, prima...

– Ah, – gridò Anania, adirandosi, – è dunque meglio... – Stava per dire: – è dunque meglio che ci vediamo di notte, di nascosto, per non urtare la falsa suscettibilità della gente? – ma subito pensò che vedersi di notte, di nascosto da soli, era forse meglio che vedersi di giorno e alla presenza dei genitori, e si calmò completamente. Peggio per loro, dunque!

Per consolarsi ricominciò le visite la notte stessa: la fantesca, appena socchiuse il portone gli augurò la «buona fortuna» come se le nozze fossero già celebrate, ed egli le diede la mancia e attese trepidando la sposa. Essa venne, cauta e silenziosa, profumata d'ireos, con un abito chiaro biancheggiante nella notte diafana. Si abbracciarono a lungo, silenziosi, vibrando assieme, ebbri di gioia: il mondo era loro.

Per la prima volta Margherita, ormai sicura di potersi abbandonare senza paure né rimorsi all'amore del bel giovane che impazziva per lei, si mostrò appassionata e ardente, quale Anania non osava sognarla: ed egli uscì dal convegno barcollando, cieco, fuori di sé.

La notte appresso, il convegno fu ancora più lungo, più delirante. La terza notte la serva, che vigilava nella cucina, forse stanca di vegliare, fece il segno convenuto *in caso di sorpresa* e gl'innamorati si lasciarono alquanto spaventati.

L'indomani Margherita scrisse: « Ho paura che ieri notte il babbo si sia accorto di qualche cosa. Badiamo di non comprometterci, ora appunto che siamo tanto felici: è bene, quindi, che per qualche giorno non ci vediamo. Abbi pazienza, e sii anzi coraggioso come lo sono io, che faccio un enorme sacrifizio rinunziando, per qualche tempo, alla immensa felicità di vederti: mi pare di morire, perché ti amo ardentemente, perché mi sembra di non poter più vivere senza i tuoi baci, ecc., ecc. »

Egli rispose: « Adorata mia, tu hai ragione: tu sei una santa, per bontà e per saviezza, mentre io non sono che un pazzo, pazzo d'amore per te. Non so, non vedo più quel che faccio. Ieri notte potevo compromettere tutto il nostro avvenire e non me ne accorgevo neppure. Perdonami: quando sono vicino a te perdo la ragione. Ho la febbre; mi consumo tutto, mi pare che entro di me arda un fuoco distruttore. Rinunzio con spasimo alla suprema felicità di vederti per qualche sera; e siccome ho bisogno di moto, di svago, di un po' di lontananza, per attutire alquanto questo fuoco che mi divora e mi rende incosciente e malato, penso di fare un'escursione sul Gennargentu. Tu vuoi, non è vero? Rispondimi subito, cara, adorata, mio spasimo e mia gioia. Ti porterò sul cuore: dalla più alta cima sarda ti manderò un saluto, griderò ai cieli il tuo nome e il mio amore, come vorrei gridarlo dalla più eccelsa cima del mondo affinché tutta la terra ne restasse attonita. Ti abbraccio, ti porto con me, unita a me, per tutta l'eternità. »

Margherita diede graziosamente il suo permesso.

Altra lettera di Anania: « Parto domani mattina con la corriera per Mamojada-Fonni. Passerò sotto la tua finestra alle nove. Vorrei vederti stanotte... ma voglio essere prudente. Vieni, vieni con me, Margherita, adorata mia, non lasciarmi un solo istante, vieni qui, sul mio cuore, ardi del mio fuoco d'amore, fammi morire di passione. »

CAPITOLO VII

La corriera attraversava le *tancas* selvaggie, gialle di stoppie e di sole ardente, qua e là ombreggiate da macchie di olivastri e di querciuoli.

Anania, seduto in *serpe*, a fianco del vetturale che scuoteva la frusta (entro la vettura si soffocava dal caldo), dimenticava le impressioni febbrili dei giorni scorsi per rivivere in un giorno lontano. Rivedeva il carrozziere dai baffi gialli e dalle guancie gonfie; ed a misura che la corriera si avvicinava a Mamojada, la suggestione dei ricordi diventava quasi dolorosa. Nell'arco del mantice si disegnava lo stesso paesaggio che egli aveva intraveduto *quel giorno*, mentre abbandonava la testolina sulle ginocchia di *lei*, e stendevasi lo stesso cielo di un azzurro chiaro melanconico.

Ecco la cantoniera: nel paesaggio, a linee forti, ondulato, verde di macchie selvaggie, s'intravede qua e là qualche filo d'acqua violacea; s'odono fischi d'uccelli palustri; un pastore, bronzeo su uno sfondo luminoso, guarda l'orizzonte.

La corriera si fermò un momento davanti alla cantoniera. Seduta sul gradino della porta, una donna in costume tonarese, tutta fasciata nelle ruvide vesti come una mummia egiziana, scardassava un mucchio di lana nera con due pettini di ferro: poco distante tre bimbi laceri e sporchi giocavano, o meglio si accapigliavano fra loro. Ad una finestra apparve un viso scarno e giallo di donna ammalata, che guardò la vettura con due grandi occhi verdognoli, pieni di stupore. La cantoniera desolata pareva l'abitazione della fame, della malattia e del sudiciume. Anania si sentì stringere il cuore: egli conosceva perfettamente il dramma tristissimo svoltosi ventitré anni prima in quel luogo solitario, in quel paesaggio rude e fresco, che sarebbe stato così puro senza l'immondo passaggio dell'uomo.

La corriera riprese il viaggio: ecco Mamojada, emergente tra il verde degli orti e dei noci, col campanile chiaro disegnato sull'azzurro tenero del cielo; da lontano il quadretto aveva le tinte delicate d'un acquerello, ma appena la corriera si inoltrò su per lo stradale polveroso, il profilo del paesetto prese tinte cupe, ancor più forti di quelle del paesaggio. Davanti alle casette nere costrutte sulla roccia s'aggruppavano caratteristiche figure di paesani: donne graziose, coi capelli lucenti attortigliati intorno alle orecchie, scalze, sedute per terra, cucivano, allattavano, ricamavano. Due carabinieri, uno studente annoiato, un vecchio nobile, che era anche contadino, chiacchieravano davanti alla bottega d'un falegname, intorno alla cui porta stavano appesi molti quadretti sacri dipinti a vivi colori.

Dopo mezz'ora di fermata la corriera ripartì.

Ecco le rovine della chiesetta, ecco gli orti, ecco la piantagione di patate dove l'*altra volta* Olì ed Anania si erano fermati.

Egli ricordò la donna che zappava, con le sottane cucite fra le gambe, e il gatto bianco che si slanciava contro la lucertolina verde guizzante sul muro. Nell'arco del mantice i paesaggi si disegnavano sempre più freschi, con sfondi luminosi: la piramide grigiastra di monte Gonare, le linee cerule e argentee della catena del Gennargentu apparivano come incise sul metallo del cielo, sempre più vicine, sempre più maestose. Ah, sì: ora davvero Anania respirava l'aria natìa, e sentiva tutti gli istinti atavici.

«Vorrei balzare giù dalla vettura, correre su per le chine, fra l'erba ancora fresca, tra le macchie e le roccie, gridando di

gioia selvaggia, imitando il puledro sfuggito al laccio e ritornato alla libertà delle *tancas*. Sì,» egli pensava, mentre la corriera rallentava la corsa su per la strada in salita, «io ero nato
per fare il pastore. Sarei stato un poeta, forse un delinquente,
forse un bandito fantasioso e feroce. Oh, contemplare le nuvole dall'alto d'un monte! Figurarsi d'essere il pastore d'una
torma di nuvole: vederle errare sul cielo argenteo, incalzarsi,
svolgersi, passare, scomparire!» Poi pensò: «E non sono un
pastore di nuvole? Fra le nuvole ed i miei pensieri che differenza c'è? Ed io stesso non sono una nuvola? Se fossi costretto a vivere in queste solitudini mi dissolverei, diventerei una
stessa cosa con l'aria, col vento, con la tristezza del paesaggio.
Sono io vivo? Che cosa è, dopo tutto, la vita?»

Come sempre, egli non seppe rispondere alla sua domanda: la corriera saliva lentamente, sempre più lentamente, con
moto dolce, quasi cadenzato; il cocchiere sonnecchiava, e pareva che anche il cavallo camminasse dormendo. Dal sole alto
verso lo zenit calava uno splendore eguale, melanconico; le
macchie ritiravano le loro ombre; un silenzio profondo e una
sonnolenza ardente pervadevano l'immenso paesaggio. Ad
Anania pareva in realtà di dissolversi, di diventare una stessa
cosa con quel panorama sonnolento, con quel cielo luminoso
e triste. Ecco, egli aveva sonno; e come l'*altra volta* finì col
chiudere gli occhi e addormentarsi infantilmente.

*
**

– Zia Grathia? *Nonna!* [25] – chiamò con voce ancora asson-
nata, entrando nella casetta della vedova.

La cucina era deserta: la straducola soleggiata; deserto
tutto il villaggio che nella desolazione del meriggi pareva una

---

[25] *Nonna*: Madrina.

stazione preistorica da secoli abbandonata.

Anania guardò curiosamente intorno. Nulla era cambiato: miseria, stracci, fuliggine, un po' di cenere sul focolare, grandi tele di ragno fra le scheggie del tetto; e, imperatore truce di quel luogo di leggende, il lungo e vuoto fantasma del gabbano nero appeso al muro terreo.

– Zia Grathia, dove siete? – gridò Anania, aggirandosi intorno. – Zia Grathia?

Finalmente la vedova, ch'era andata ad attingere acqua ad un pozzo vicino, rientrò, con un *malune* [26] sul capo e la secchia in mano. Era sempre la stessa, stecchita, giallastra, col viso spettrale circondato da una benda di tela sporca: gli anni erano passati senza invecchiare oltre quel corpo già disseccato ed esaurito dalle emozioni della lontana giovinezza.

Nel vederla Anania si turbò: un fiotto di ricordanze gli salì dalle profondità dell'anima; gli parve di ricordare tutta una esistenza anteriore, di rivedere uno spirito che aveva già albergato nel suo corpo prima dello spirito che lo animava al presente.

– *Bonas dies!* – salutò la vedova, guardando meravigliata il bel giovine sconosciuto. E depose prima la secchia, poi il *malune*, lentamente, guardando sempre lo straniero. Ma appena egli sorrise chiedendole: – Ma non mi riconoscete dunque? – zia Grathia diede un grido ed aprì le braccia: Anania l'abbracciò, la baciò, la investì di domande.

E Zuanne? Dov'era? Perché si era fatto monaco? Veniva a trovarla? Era felice? E il figlio maggiore? E i figli del fabbricante di ceri? E questo e quell'altro? E come era trascorsa la vita a Fonni durante quei quindici anni? E chi era il pretore? E si poteva l'indomani far la gita sul Gennargentu?

---

[26] *Malune*: Recipiente di sughero.

– Figlio mio caro! – cominciò la vedova, dandosi attorno. – Ah, come trovi la mia casa! Nuda e triste come un
nido abbandonato! Siediti dunque, lavati; ecco l'acqua pura e
fresca, vero argento puro; lavati, bevi, riposati. Io ora ti pre-
parerò un boccone: ah, non rifiutare, figlio delle mie viscere;
non rifiutare, non umiliarmi. Per cibarti io vorrei darti il mio
cuore; ma tu accetta quel che posso offrirti; ecco, asciugati,
ora, anima mia! Come sei grande e bello! Dicono che tu debba sposare una ricca e bella fanciulla: ah, non è stata stupida
quella fanciulla. Ma perché non mi hai tu scritto prima di
venire? Ah, figlio caro, tu almeno non hai dimenticato la
vecchia abbandonata!

– Ma Zuanne, Zuanne? – insisteva Anania, lavandosi con
l'acqua freschissima della secchia.

La vedova diventò cupa. Disse:

– Ebbene, non parlarmene! Egli mi ha fatto tanto soffrire!
Era meglio che... egli avesse seguito l'esempio del padre...
Ebbene, no, non parliamone. Egli non è un uomo; sarà un
santo, come dicono, ma non è un uomo! Se mio marito sol-
levasse il capo dalla tomba e vedesse suo figlio scalzo, col cor-
done, con la bisaccia, frate mendicante e stupido, che direbbe
mai? Ah, lo fustigherebbe, in verità.

– Dove si trova ora frate Zuanne?

– In un convento lontano; sulla cima d'un monte. Almeno
fosse rimasto nel convento di Fonni! ma no, è destino che
tutti debbano abbandonarmi; anche Fidele, l'altro figliuolo,
ha preso moglie e raramente si ricorda di me: il nido è deserto, abbandonato; la vecchia aquila ha veduto volar via i suoi
poveri aquilotti e morrà sola... sola...

– Venite a viver con me! – disse Anania. – Quando sarò
dottore vi prenderò con me, *nonna*.

– In che potrei servirti? Almeno un tempo ti lavavo gli

occhi e ti tagliavo le unghie; ora invece tu dovresti fare altrettanto a me...

    – Mi raccontereste delle storie... a me ed ai miei bambini...

    – Anche le storie non so più raccontarle, adesso. Sono
rimbambita del tutto: il tempo, vedi, il tempo s'è portato via
il mio cervello come il vento porta via la neve dai monti. Ebbene, ragazzino mio, mangia; non ho altro da offrirti, accetta
di buon cuore. Oh, questo cero, è tuo? Dove lo porterai?

    – Alla Basilica, nonna, davanti all'immagine dei santi Pro-
to e Gianuario. Viene di lontano, nonna; me lo diede una
vecchia donna sarda che vive a Roma: anch'essa mi narrava
delle storie, ma non belle come le vostre.

    – Vive a Roma? E come fece ad andarci? Ah, io morrò
senza aver veduto Roma!...

    Dopo il modestissimo pasto, Anania cercò la guida, con la
quale combinò per l'indomani l'ascensione sul Gennargentu:
poi si avviò alla Basilica.

    Nell'antico cortile, sotto i grandi alberi, sussurranti, sui
gradini corrosi, nelle loggie rovinate, entro la chiesa odorante
d'umido come una tomba, da per tutto silenzio e desolazione.
Anania depose il cero di zia Varvara sopra un altare polveroso,
poi guardò i primitivi affreschi delle pareti, gli stucchi dorati
da una luce melanconica, le rozze figure dei santi sardi, tutte
le cose infine che un tempo gli avevano destato meraviglia
e terrore, e sorrise, ma col cuore oppresso da una languida
tristezza. Ritornato nel cortile vide, attraverso una finestra
aperta, il cappello d'un carabiniere e un paio di stivali appesi
al muro d'una cella, e nella memoria gli risuonò ancora l'aria
della *Gioconda*: «A te questo rosario».

    L'odor della cera vagava nel cortile solitario; dov'erano i
bimbi, compagni d'infanzia, gli uccelletti seminudi e selvatici, che un tempo animavano i gradini della chiesa? Anania

non desiderava di rivederli; ma con quanta dolcezza ricordava
i giuochi fatti con loro, mentre dagli alberi le foglie secche
cadevano come ali d'uccelli morti!

Una donna scalza, con un'anfora sul capo, passò in fondo al cortile. Anania trasalì, sembrandogli di riconoscere sua
madre. Dove era sua madre? Perché egli non aveva osato, pur
desiderandolo, parlarne alla vedova, – e perché questa non
aveva accennato alla sua ingrata ospite? Per sfuggire ai ricordi
amari egli andò alla posta e inviò una cartolina illustrata a
Margherita; poi visitò il Rettore, e verso il tramonto percorse
la strada che guardava sulla immensità delle valli. Vedendo le
donne fonnesi che andavano alla fontana, strette nelle *tuniche*
bizzarre, egli ripensò ai suoi primi sogni di amore, quando
desiderava d'esser lui un mandriano e Margherita una paesana, fine ed elegante sebbene con l'anfora sul capo, simile
alla figurina d'uno stucco pompejano. Come il passato era
lontano e come diverso dal presente!

Un tramonto meraviglioso illuminava l'orizzonte: pareva
un miraggio apocalittico. Le nuvole disegnavano un paesaggio tragico; una pianura ardente solcata da laghi d'oro e
da fiumi porpurei, e sul cui sfondo sorgevano montagne di
bronzo profilate d'ambra e di neve perlata, qua e là squarciate
da aperture fiammanti che sembravano bocche di grotte e
dalle quali sgorgavano torrenti di sangue dorato. Una battaglia di giganti solari, di formidabili abitanti dell'infinito, si
svolgeva entro quelle grotte aeree: balenava il coruscare delle
armi intagliate nel metallo del sole, ed il sangue sgorgava a
torrenti, inondando le infuocate pianure del cielo.

Col cuore balzante di gioia Anania rimase assorto nella
contemplazione del magnifico spettacolo, finché le ombre della sera, fugato il miraggio, stesero un drappo violaceo su tutte
le cose: allora egli rientrò nella casa della vedova e sedette

accanto al focolare.

I ricordi lo riassalirono. Nella penombra, mentre la vecchia preparava la cena e parlava con voce tetra, egli rivedeva Zuanne dalle grandi orecchie, intento a cuocer le castagne, ed un'altra figura silenziosa e incerta come un fantasma.

– Dunque hanno ammazzato tutti i banditi nuoresi? – chiedeva la vecchia. – Ma credi tu che passerà lungo tempo prima che nuove *compagnie* sorgano qua e là? Tu ti inganni, figlio mio. Finché vivranno uomini dal sangue ardente, abili al bene ed al male, esisteranno banditi. È vero che ora essi sono così cattivi, talvolta vili, ladroni e spregevoli! Ah, ai tempi di mio marito era altra cosa, sai! Come erano coraggiosi allora! Coraggiosi e benefici. Una volta mio marito incontrò una donna che piangeva perché...

Anania s'interessava mediocremente ai ricordi di zia Grathia: altri pensieri gli passavano per la mente.

– Sentite, – egli disse, appena la vedova ebbe finito la pietosa storia della donna che piangeva, – non avete saputo mai nulla di mia madre?

Zia Grathia era intenta a rivoltare una piccola frittata, e non rispose.

«Ella sa qualche cosa!» pensò Anania, turbandosi. Ma dopo un istante di silenzio zia Grathia osservò:

– Se niente ne sai tu, come vuoi che ne sappia qualche cosa io? E adesso, figlio, mettiti qui, davanti a questa sedia, ed accetta il buon cuore.

Anania sedette davanti al canestro che la vedova aveva deposto sopra una sedia, e cominciò a mangiare.

– No, – disse, confidandosi con la vecchia come non s'era mai potuto confidare con nessuno, – per lungo tempo io non seppi nulla di lei. Ora però credo di essere sulle sue traccie. Dopo che mi ebbe abbandonato ella partì dalla Sardegna, ed un uomo la vide a Roma, vestita da signora.

– Ma la vide davvero? – chiese vivacemente zia Grathia. –
Le parlò?

– Altro che le parlò! – rispose amaramente Anania. – Egli
disse d'aver passato qualche ora con lei. Dopo non si seppe
più nulla; ma io, mesi fa, la feci ricercare dalla Questura e
venni a sapere che ella vive a Roma, sotto un falso nome.
Però si è emendata, sì, si è emendata, e adesso vive onestamente lavorando.

Zia Grathia era venuta a porsi davanti alla sedia, ed a misura che Anania parlava ella spalancava gli occhietti foschi, e
si curvava e trasaliva, e apriva le mani come per raccogliere le
parole di lui.

Egli si rasserenava pensando a Maria Obinu: quando disse
«ella ora si è emendata» provò un impeto di gioia, sicuro, in
quel momento, di non ingannarsi supponendo che Maria e
Olì fossero la stessa persona.

– Ma sei sicuro, ma sei proprio sicuro? – chiese la vecchia,
sbalordita.

– Ma sì! Ma sìii!... – egli rispose, imitando Margherita nel
pronunziare quel sì lieto e un po' canzonatore. – Ho vissuto
due mesi in casa sua.

Si versò da bere, guardò il vino attraverso la luce rossastra della lucerna di ferro, e sembrandogli torbido lo assaggiò
appena; poi nel pulirsi la bocca vide che il vecchio tovagliolo
grigiastro era bucato, e se ne coprì scherzosamente il viso.

– Ricordate quando io e Zuanne ci mascheravamo? – chiese, guardando attraverso il buco. – Io mettevo sul viso questo
tovagliolo. Ma che avete? – esclamò subito con voce mutata,
scoprendosi il volto lievemente impallidito.

Egli vedeva il viso della vedova, di solito impassibile e cadaverico, animarsi in modo strano, e dopo una profonda meraviglia

esprimere la pietà più intensa; e capì immediatamente che l'oggetto di questa pietà quasi violenta era lui.

Di un colpo l'edifizio del suo sogno rovinò.

– Nonna! Zia Grathia! Voi sapete! – gridò con aria spaventata, stirando nervosamente il tovagliuolo quanto era lungo.

– Finisci di mangiare, adesso: parleremo poi, figlio. Non ti piace quel vino?

Ma Anania la guardò con rabbia e balzò in piedi.

– Parlate! – le impose.

– Ah, Santissimo Signore, – si lamentò zia Grathia, sospirando e schioccando le labbra, – che cosa vuoi ch'io ti dica? Perché non finisci di cenare, Anania, figlio caro?... Parleremo poi...

Egli non sentiva e non vedeva più nulla.

– Parlate! Parlate! Voi sapete tutto, dunque? Dov'è? È viva, è morta, dov'è? Dov'è? Dov'è?

Quel «dov'è?» lo ripeté almeno venti volte, mentre s'aggirava automaticamente intorno alla cucina, piegando, spiegando, stirando il tovagliuolo, mettendolo sul viso, guardando attraverso il buco: pareva un po' impazzito, ma più irritato che commosso.

– Calmati, – cominciò a dirgli la vecchia, andandogli appresso, – io credevo che tu sapessi... Sì, ella è viva, ma non è la donna che ti ha ingannato fingendosi tua madre.

– Non è stata lei a ingannarmi, nonna! L'ho creduto io... Ella non sa neppure che io abbia supposto... Ah, dunque non è lei? – aggiunse a bassa voce, con meraviglia, come se fino a quel momento fosse stato certo che Maria Obinu era sua madre. – Ma parlate dunque! – esclamò poi. – Perché mi tenete così sulla corda? Perché non mi avete parlato ancora di lei? Dov'è? dov'è?

– Ma se non ha mai lasciato la Sardegna! – disse la vedova,

camminandogli sempre a fianco. – In verità, io credevo che
tu lo sapessi. Io l'ho riveduta quest'anno, ai primi di maggio;
ella venne a Fonni per la festa dei Santi Martiri, e conduceva
un cantastorie, un giovine cieco suo amante. Essi erano venuti a piedi da un villaggio lontano, da Neoneli; ella soffriva
le febbri di malaria, e sembrava una vecchia di sessanta anni.
Terminate le feste, il cieco, che aveva guadagnato assai, abbandonò Olì per seguire una comitiva di mendicanti diretti
ad un'altra festa campestre. So che ella, in giugno e luglio,
fece la mietitrice nelle *tancas* di Mamojada. La febbre la di-
struggeva: stette lungamente malata nella cantoniera e ci sta
ancora...

Anania si fermò, sollevò il viso e aprì le braccia con atto
disperato.

– Ed io... io... l'ho... vista! – gridò. – Io l'ho vista! L'ho
vista!... Siete certa di quanto mi dite? – chiese poi fissando
la vedova.

– Certissima: perché dovrei ingannarti?

– Ditemi, – egli insisté, – ma c'è davvero? Io vidi alla finestra una donna febbricitante, gialla, terrea, con due occhi da
gatto... Era lei? Ne siete certa?

– Certissima, ti dico. Era lei certamente.

– Ed io... io l'ho vista! – egli ripeté, e si strinse il capo fra
le mani, torcendoselo, preso da una collera violenta contro
se stesso che si era così lungamente, così stupidamente ingannato; che aveva cercato sua madre al di là dei monti e dei
mari, mentre ella trascinava la sua miseria e il suo disonore
attraverso l'isola natìi; che si era commosso davanti a tanti
volti stranieri e non aveva sentito un palpito nello scorgere
il volto della mendicante, della miseria viva, di sua madre,
incorniciato dalla finestruola tetra della cantoniera.

Che cosa dunque era l'uomo? E il cuore umano? E la vita,

l'intelligenza, il pensiero? Ah, sì, ora che queste domande gli salivano non più oziosamente alle labbra, ora che la realtà batteva intorno a lui le sue ali funebri e squarciava i vapori dell'illusione, ora egli rispondeva alle sue domande e sapeva che cosa era l'uomo, il suo cuore, la sua vita: inganno, inganno, inganno.

*
**

A un tratto zia Grathia lo prese per un braccio e lo costrinse a sedersi: poi gli si accoccolò davanti, gli strinse una mano, e lo guardò di sotto in su, lungamente, pietosamente.

– Bambino mio, – gli disse, – piangi, piangi. Ti farà bene. Come sei freddo!

Anania strappò la mano dal morso duro delle mani della vedova.

– Ma per chi mi prendete? – domandò offeso. – Non sono un ragazzino, io! Perché devo piangere?

– Eppure ti farebbe bene, figlio! Ah, sì, io so quanto fa bene piangere! Quanto fu picchiato alla mia porta, una notte, ed una voce che pareva quella della Morte mi disse: «Donna, non aspettare più!» io diventai di pietra. Per ore ed ore non potei piangere; e furono le ore più terribili per me: mi pareva che il cuore, dentro il petto, fosse diventato di ferro rovente, e mi bruciasse, mi bruciasse le viscere, mi lacerasse il petto con la sua punta acuta. Ma poi il Signore mi concedé le lagrime, ed esse rinfrescarono il mio dolore come la rugiada rinfresca le pietre arse dal sole. Figlio, abbi pazienza! Siamo nati per soffrire: e cosa è mai questo tuo dispiacere in confronto di tanti altri dolori?

– Ma io non soffro! – egli protestò. – Dovevo aspettarmelo, questo colpo; me lo aspettavo anzi, vedete! Sono stato spinto a venir qui quasi da una forza misteriosa; una voce mi diceva: va,

va, là saprai qualche cosa! Certo, ho provato un colpo... un po'
di sorpresa... ma adesso è passato: non datevi pena.

Ma la vedova lo fissava, lo vedeva livido in viso, con le labbra pallide contratte, e scuoteva il capo. Egli proseguì:

– Ma perché nessuno mi ha detto mai nulla? Eppure qualche cosa dovevano sapere. Il carrozziere, per esempio, possibile che non sapesse nulla?

– Forse. Ella sola poteva farti sapere qualche cosa; ma
no, essa ha paura di te. Quando venne qui, per la festa, con
quel miserabile cieco che si fece condurre da lei e poi la abbandonò, nessuno qui la riconobbe, tanto sembrava vecchia,
piena di stracci, istupidita dalla miseria e dalla febbre. Del
resto, neppure tu l'hai riconosciuta. Il cieco la chiamava con
un brutto nomignolo: soltanto a me ella confidò il suo vero
essere, mi raccontò la sua triste storia e mi scongiurò di non
farti mai saper nulla di lei. Essa ha paura di te.

– Perché ha paura?

– Ha paura che tu la faccia mettere in prigione perché ti
ha abbandonato. Ha anche paura dei suoi fratelli che sono
cantonieri della ferrovia ad Iglesias.

– E suo padre? – domandò Anania, che non aveva mai
pensato a questi suoi parenti.

– Oh! è morto da tanti anni, morto maledicendola. E Olì
crede sia stata questa maledizione a perseguitarla.

– Sì! È lei che è pazza! Ma che ha ella fatto durante tutti
questi anni? Come ha vissuto? Perché non ha lavorato?

Egli sembrava di nuovo calmo, e faceva le sue domande
senza curiosità, pensando alle conseguenze di questo disa-
stroso avvenimento. Ma quando la vedova sollevò un dito e
disse solennemente: – Tutto sta nelle mani di Dio! Figlio, c'è
un filo terribile che ci tira e ci tira... Forse che mio marito
non avrebbe voluto lavorare, e morire sul suo letto, benedetto

dal Signore? Eppure!... Così di tua madre! Ella certo avrebbe
voluto lavorare e vivere onestamente... Ma il filo l'ha tirata...

Egli s'accese in volto, e di nuovo contorse le dita e si sentì
soffocare da un impeto di vergogna e di spasimo.

– Tutto... tutto è finito per me, dunque! – singhiozzò. –
Che orrore, che orrore! Che miseria, che onta! Ma raccontatemi, dunque, ditemi tutto. Come ha vissuto?... Voglio sapere
tutto... tutto... tutto, capite! voglio morire di vergogna, prima ancora che... Basta! – disse poi scuotendo la testa, come
per scacciare via da sé ogni turbamento. – Raccontatemi.

Zia Grathia lo guardava con infinita pietà: avrebbe voluto prenderselo sulle ginocchia, cullarlo, cantargli una nenia
infantile, calmarlo, addormentarlo; ed invece lo torturava.
Ma... sia fatta la volontà del Signore: siamo nati per soffrire,
e non si muore di dolore! Tuttavia la vedova cercò di raddol-
cire alquanto il calice amaro che Dio porgeva per le sue mani
al disgraziato fanciullo. Disse:

– Io non so raccontarti precisamente come ella visse e ciò
che fece. So che ella, dopo averti lasciato, e fece benissimo,
perché altrimenti tu non avresti avuto mai un padre e non
saresti stato fortunato come lo sei...

– Zia Grathia! Non fatemi arrabbiare!... – egli interruppe
impetuosamente.

– Tranquillità! Pazienza! – gridò la donna. – Non disco-
noscere la bontà del Signore, ragazzo mio! Se tu fossi rimasto
qui, che avresti fatto? Forse avresti finito vilmente col farti
anche tu frate... frate mendicante... frate poltrone!... Basta,
non parliamone più! Meglio morire che finire così! E tua madre avrebbe seguìto egualmente la sua via, perché quello era
il suo destino. Anche qui, prima di partire, credi tu ch'ella
menasse una vita santa? Ebbene, no: era questo il suo destino.
Ella aveva qui, negli ultimi tempi, un amante carabiniere che

fu trasferito a Nuraminis pochi giorni prima della vostra fuga. Dopo che ti ebbe abbandonato, almeno così la disgraziata mi raccontò, ella partì per Nuraminis, a piedi, nascondendosi di giorno, camminando di notte, attraversando metà della Sardegna. Raggiunse il carabiniere e la loro relazione continuò per qualche mese; egli aveva promesso di sposarla, ma invece si stancò presto di lei, la maltrattò, la percosse, poi l'abbandonò. Ella seguì la sua fatale via. Mi disse, – e piangeva, poveretta, piangeva da commuovere le pietre, – che cercò sempre del lavoro, ma che non poté trovarne mai. È il destino, te lo dissi! Il destino che priva del lavoro certi esseri disgraziati, come ne priva altri della ragione, della salute, della bontà. L'uomo e la donna inutilmente si ribellano. No, avanti, morite, crepate, ma seguite il filo che vi tira! Basta, ultimamente però *ella* si era emendata: s'era unita con un cieco cantastorie e vivevano da due anni come marito e moglie: ella lo conduceva per i paesi, per le feste campestri, da un luogo all'altro; camminavano quasi sempre a piedi, qualche volta soli, qualche volta in compagnia di altri mendicanti girovaghi. Il cieco cantava certe poesie che egli stesso componeva: aveva una bellissima voce. Qui, mi ricordo, cantò la *Morte del re*, una poesia che faceva piangere la gente. Il Municipio gli diede venti lire, il Rettore lo invitò a pranzo. Raccolse, in tre giorni che stette qui, più di venti scudi. Ed era un'immondezza! Anche lui prometteva di sposare la disgraziata; invece, quando la vide ammalata, che non poteva trascinarsi oltre, la piantò, per paura che lo costringessero a spendere per curarla. Di qui partirono assieme; andarono alla festa di Sant'Elia; là il cieco schifoso incontrò una compagnia di mendicanti campidanesi che dovevano recarsi ad una festa campestre nella Gallura, e andò via con loro, mentre la disgraziata moriva di febbre in una capanna di pastori. Dopo, come ti dissi, sentendosi meglio, ella vagò

di qua e di là, mietendo, raccogliendo spighe, finché la febbre
l'atterrò del tutto. L'altro giorno, però, mi mandò a dire che
stava meglio...

Un fremito, invano represso, percorreva tutte le membra
di Anania. Quanta miseria, quanta vergogna, quanto dolore,
e che iniquità divina ed umana nel racconto della vedova!

Nessuno dei sanguinosi e tristi racconti ch'egli aveva sentito narrare nella sua infanzia dalla strana donna, gli era mai
parso più spaventoso di questo: nessuno lo aveva mai fatto
tremare come questo. Ad un tratto ricordò il pensiero balena-
togli una volta in mente, in una dolce sera lontana, nel silenzio
della pineta interrotto appena dal canto del galeotto pastore.

– È stata anche in carcere? – domandò.

– Sì, credo, una volta. Furon trovati in casa sua certi oggetti, che un suo *amico* aveva preso da una chiesa campestre;
ma fu rilasciata perché provò di non sapere neppure di che si
trattasse...

– Voi mentite! – disse Anania con voce cupa. – Perché non
dite tutta la verità? Essa è stata anche ladra... ebbene, perché
non dirlo! Credete che mi importi niente? Proprio niente,
vedete, neppure così, – aggiunse, mostrandole la punta del
mignolo.

– Che unghie, Signore! – osservò la vecchia. – Perché ti
lasci crescere così le unghie?

Egli non rispose, ma balzò in piedi e camminò su e giù,
furioso, mugolando come un toro.

La vedova non si mosse, ed egli, dopo pochi istanti, tornò
a calmarsi, e fermandosi davanti alla donna chiese con voce
dolente ma rassegnata:

– Ma perché son nato io? Perché mi hanno fatto nascere?
Vedete, io ora sono un uomo rovinato: tutta la mia vita è di-
strutta. Non potrò proseguire gli studi, e la donna che dovevo

sposare, e senza la quale non potrò più vivere, ora mi lascerà...
cioè devo lasciarla io.

– Ma perché? Non sa chi sei tu?

– Sì, lo sa, ma crede che *quella donna* sia morta o così
lontana da non udirne più neanche il nome. Ed ora invece
ecco che *essa* ritorna! Come volete voi che una fanciulla pura
e delicata possa vivere vicino ad una donna infame?

– Ma che cosa vuoi fare? Non hai tu stesso detto che non
ti importa nulla di *lei?*

– E voi che cosa mi consigliate?

– Io? Che cosa ti consiglio? Di lasciarle proseguire la sua
via, – rispose ferocemente la vedova: – non ti ha abbandonato
lei? Se tu lo vorrai, la tua sposa non incontrerà mai la disgraziata, e tu stesso non la vedrai mai più...

Anania la guardò, a sua volta pietoso ma anche sprezzante.

– Voi non capite, non potete capire! – disse. – Lasciamo
andare; ora bisogna pensare al modo di vederla; bisogna ch'io
vada là domani mattina.

– Tu sei matto...

– Voi non capite...

Si guardarono; entrambi reciprocamente sdegnati e pieto-
si. Allora cominciarono a discutere e quasi a litigare. Anania
voleva partire subito, o al più tardi la mattina dopo; la vedova
proponeva di far venire Olì a Fonni senza dirle il perché.

– Giacché ti ostini! Ma va là! io la lascerei tranquilla; come
ha camminato sinora camminerà d'ora in avanti... Lasciala
stare... Mandale qualche soccorso...

– Nonna, pare che anche voi abbiate paura. Quanto siete
semplice! Io non le torcerò un capello; io la prenderò con me;
ella vivrà con me ed io lavorerò per lei: le voglio fare del bene,
non del male, perché tale è il mio dovere...

– Sì, questo è il tuo dovere; ma d'altronde, figlio, pensa,

rifletti. Come vivrete voi? Come camperete?

– Non pensateci!

– Come, come farete?

– Non pensateci!

– Bene, allora! Ma ti ripeto che essa ha una folle paura di te, e se tu vai ad affrontarla così, improvvisamente, è capace di commettere qualche pazzia.

– Ed allora facciamola venir qui: ma subito, domani mattina.

– Sì, subito, sulle ali d'un corvo! Come sei impaziente, figlio delle mie viscere! Va e riposati, adesso, e non pensare a niente. Domani notte a quest'ora ella sarà qui, non dubitare. Dopo, tu farai quel che vorrai. Domani tu salirai sul Gennargentu: io direi anzi di rimanerci fino a posdomani...

– Vedrò io!

– Ora va... va a riposarti, – ella ripeté, dolcemente spingendolo.

Anche nella stanzetta ove egli aveva dormito con sua madre nulla era cambiato; vedendo il misero giaciglio, sotto cui c'era un mucchio di patate ancora odoranti di terra, egli ricordò il lettino di Maria Obinu e le illusioni ed i sogni che lo avevano per tanto tempo perseguitato.

– Come ero bambino! – pensò amaramente. – E dicevo di esser uomo! Ah, soltanto adesso sono uomo! Ah, soltanto ora la vita mi ha spalancato le sue orribili porte! Sì, sono un uomo, ora, e voglio essere un uomo forte! No, vile vita, tu non mi vincerai; no, mostro, tu non mi abbatterai! Tu mi perseguiti, tu mi hai finora combattuto a viso coperto, vigliacca, miserabile, e solo oggi, in questo giorno lungo come un secolo, solo oggi hai svelato il tuo volto orrendo! Ma non mi vincerai, no, non mi vincerai!

Aprì le imposte tentennanti che davano su un balcone di

legno, del quale rimanevano appena i sostegni; si afferrò a questi e si sporse fuori.

La notte era limpidissima, fresca, chiara e diafana come sono in montagna le notti sul finir dell'estate. Nel silenzio indicibile che regnava, la visione delle montagne vicine e le linee vaghe delle montagne lontane sembravano più solenni e grandiose.

Ad Anania, che vedeva quasi ai suoi piedi le valli profonde, pareva di star sospeso sopra un abisso: e mentre le linee delle montagne lontane gli destavano in cuore una dolcezza strana, e gli davan l'idea di versi immensi scritti dalla mano onnipotente d'un divino poeta sulla pagina celeste dell'orizzonte, il vicino colosso nero-turchiniccio di Monte Spada, protetto dalla formidabile muraglia del Gennargentu, lo opprimeva, gli sembrava l'ombra del mostro al quale poco prima aveva lanciato la sua sfida.

E pensava a Margherita lontana, a Margherita sua, non più sua, che in quell'ora sognava certamente di lui guardando anch'essa l'orizzonte; e sentiva una grande pietà per lei, più che per se stesso, e lagrime soavi e amare come il miele amaro gli salivano agli occhi; ma egli le respingeva, queste lagrime, le respingeva come un nemico felino e sleale che tentasse vincerlo a tradimento.

– Son forte! – ripeteva, fermo sul balcone senza ringhiera. – Mostro, sono io che ti vincerò, ora che mi stai davanti!

E non si accorgeva che il mostro gli stava alle spalle, inesorabile.

CAPITOLO VIII

Nella lunga notte insonne egli decise, o credette decidere, il proprio destino.

«Io *la* costringerò a viver qui, presso zia Grathia, finché non avrò trovato la mia via. Parlerò francamente al signor Carboni e a Margherita. Ecco, dirò loro, le cose stanno così: io ho intenzione di far vivere mia madre presso di me, appena la mia posizione me lo permetterà: questo è il mio dovere, ed io lo compio, caschi l'universo. Essi mi scacceranno come si scaccia una bestia immonda; io non mi illudo. Allora io cercherò un impiego, e lo troverò bene, e prenderò con me la disgraziata, e vivremo assieme di miseria, ma pagherò i miei debiti, e sarò un uomo. Un uomo!» pensò amaramente. «O un cadavere vivente!»

Gli pareva d'esser calmo, freddo, già morto alla gioia di vivere; ma in fondo al cuore sentiva una crudele ebbrezza d'orgoglio, una smania di stolto combattimento contro la fatalità, contro la società e contro se stesso.

«L'ho voluto io, dopo tutto!» pensava. «Sapevo bene che doveva finir così: mi sono lasciato trascinare dalla fatalità. Guai a me! Devo espiare io: espierò.»

Questa illusione di coraggio lo sostenne tutta la notte, ed anche il giorno dopo, durante l'ascensione al Gennargentu. La giornata era triste, annuvolata e nebbiosa, ma senza vento: egli volle partire egualmente, con la speranza, diceva, che il tempo si rasserenasse, ma in realtà per cominciare a dar a se stesso una prova di fermezza, di coraggio e di noncuranza.

Che gli importava oramai delle montagne, degli orizzonti, del mondo intero? Ma egli *voleva* fare ciò che aveva stabilito di fare. Solo un momento, prima della partenza, esitò.

«E se *ella*, avvertita della mia presenza, non venisse e fuggisse ancora? E io non prendo forse del tempo perché ciò avvenga?»

La vedova lo rassicurò impegnandosi a far venire Olì al più presto possibile, ed egli partì. La guida, su un cavallino forte e paziente, precedeva per gli erti sentieri, talvolta dileguandosi fra la nebbia argentea delle lontananze silenziose, talvolta disegnandosi sullo sfondo del sentiero come una figura dipinta a guazzo sopra una tela grigia. Anania seguiva: tutto era nebbia intorno a lui, dentro di lui, ma egli distingueva attraverso quel velo fluttuante il profilo ciclopico del Monte Spada, e dentro di sé, fra le nebbie che gli avvolgevano l'anima, scorgeva quest'anima come scorgeva il monte, grande, immensa, dura, mostruosa.

Un silenzio tragico circondava i viaggiatori, interrotto soltanto, a intervalli, dal grido degli avoltoi. Forme strane apparivano qua e là fra la nebbia, ai lati del sentiero roccioso, e il grido degli uccelli carnivori sembrava la voce selvaggia di quelle misteriose parvenze, disturbate dal passaggio dell'uomo. Anania credeva di camminare fra le nuvole, sentiva qualche volta il senso del vuoto, e per vincere la vertigine doveva guardare intensamente il sentiero, sotto i piedi del cavallo, fissando le lastre umide e lucenti dello schisto e i piccoli cespugli violetti del serpillo la cui acuta fragranza profumava la nebbia. Verso le nove, fortunatamente pei viaggiatori che in quell'ora percorrevano un sentiero strettissimo tagliato sul dorso immenso di Monte Spada, la nebbia diradò: Anania diede un grido di ammirazione, quasi strappatogli violentemente dalla bellezza magnifica del panorama. Tutto il monte apparve coperto da un manto violetto di serpillo fiorito; e al di là, la visione delle valli profondissime e delle alte cime verso cui si avvicinavano i viaggiatori, pareva, tra il velo squarciato della nebbia luminosa, fra giuochi di sole e d'ombra, sotto il cielo turchino dipinto di strane nuvole che si diradavano lentamente, un sogno d'artista impazzito, un quadro d'inverosimile bellezza.

«Come la natura è grande, e come è bella e come è forte!» pensò Anania, intenerito. «Nel suo cuore immenso tutto è puro: ah, se ci trovassimo qui soli, tutti e tre, io, Margherita e *lei*, chi più penserebbe alle cose impure che ci separano?»

Un soffio di speranza gli attraversò lo spirito: e se Margherita lo amasse davvero tanto quanto aveva dimostrato d'amarlo in quegli ultimi giorni, e se acconsentisse?...

Con questa folle speranza in cuore camminò lungo tratto, finché raggiunse il fondo del versante di Monte Spada per ricominciare la salita verso la più alta cima del Gennargentu. Un torrente passava in fondo alla valle, fra enormi roccie e boschi di ontani che un improvviso soffio di vento scuoteva. Nel silenzio profondo del luogo misterioso il mormorio degli ontani diede ad Anania una bizzarra impressione; gli parve che la sua speranza animasse le cose intorno, e che gli alberi tremassero, come sorpresi da una gioia arcana.

Ma ad un tratto ricadde nelle sue cupe idee e un progetto stravagante gli attraversò la mente: farsi romito.

– Se mi nascondessi su queste montagne e vivessi solo, cibandomi d'erbe e di uccelli? Perché l'uomo non può viver solo, perché non può spezzare i lacci che lo avvincono agli altri uomini e lo strangolano? Zarathustra? Sì, ma anch'Egli una volta scrisse: «Oh, quanto sono solo! Non ho più nessuno con cui possa ridere, nessuno che mi consoli dolcemente....»

*
**

Per tre ore l'ascesa continuò, lenta e pericolosa. Il cielo si rasserenò completamente, il vento soffiò: le cime schistose brillarono al sole, profilate di argento sull'azzurro infinito; l'isola svolse i suoi cerulei panorami, disegnati di montagne chiare, di paesi grigi, di stagni lucenti, e qua e là sfumati nella linea vaporosa del mare.

Ogni tanto Anania si distraeva, ammirava, seguiva con interesse le indicazioni della guida e guardava col binocolo; ma appena egli cercava di godere la dolcezza del panorama magnifico, il dolore gli dava come una zampata da tigre per riafferrarlo interamente a sé.

Verso mezzogiorno arrivarono alla vetta Bruncu Spina. Appena smontato, Anania s'arrampicò fino al mucchio di lastre schistose del punto trigonometrico, e si gettò per terra onde sfuggire alla furia del vento che lo assaltava d'ogni parte. Sotto il suo sguardo irrequieto stendevasi quasi tutta l'isola, con le sue montagne azzurre e il suo mare argenteo, rischiarata dal sole allo zenit: sopra il suo capo brillava il cielo turchino, vuoto e infinito come il pensiero umano. Il vento rombava furiosamente nel vuoto, e le sue raffiche investivano Anania con rabbia pazza: pareva l'ira violenta d'una belva formidabile che cercasse di scacciare ogni altro essere dall'antro aereo dove voleva dominare sola.

Anania resisté a lungo: la guida gli si trascinò accanto, gettandosi anch'essa carponi sulle lastre schistose, e cominciò a indicare le principali montagne ed i paesi ed i borghi dell'isola.

Il vento rapiva le parole e mozzava il respiro ai due uomini.

– Quella è Nuoro? – gridò Anania.

– Sì: la collina di Sant'Onofrio la divide in due.

– Sì, è vero. Si vede distintamente.

– Peccato che questo vento sia così rabbioso! Va al diavolo, vento maledetto! – urlò la guida. – Altrimenti si poteva mandare un saluto a Nuoro, tanto oggi sembra vicina!

Anania ripensò alla promessa fatta a Margherita:

«...Dalla più alta cima sarda ti manderò un saluto; griderò ai cieli il tuo nome ed il mio amore, come vorrei gridarlo dalla più eccelsa cima del mondo affinché tutta la terra ne restasse attonita...».

E gli sembrò che il vento gli portasse via il cuore, sbattendolo contro i colossi granitici del Gennargentu.

*
**

Al ritorno egli credeva di trovare sua madre presso la vedova, e ansiosamente, dopo aver lasciato il cavallo presso la guida, attraversò il paese deserto e si fermò davanti alla porticina nera di zia Grathia. La sera scendeva triste, un vento gagliardo soffiava per le straducole erte, rocciose: il cielo era pallido: pareva d'autunno. Anania, fermo davanti alla porticina, ascoltava. Silenzio. Attraverso le fessure scorgevasi il chiarore rosso del fuoco. Silenzio.

Anania entrò e vide soltanto la vecchia, che filava seduta sul solito sgabello, tranquilla come uno spettro. Sulle brage gorgogliava la caffettiera, e da un pezzo di carne di pecora, infilato in uno spiedo di legno, sgocciolava il grasso sulla cenere ardente.

– E dunque?... Nonna, dunque?

– Pazienza, gioiello d'oro! Non ho trovato una persona fidata che potesse andare laggiù. Mio figlio non è in paese.

– Ma il carrozziere?

– Pazienza, ti ho detto, oh! – esclamò la vedova, alzandosi

e deponendo il fuso sullo sgabello. – Ho pregato appunto il carrozziere di dirle che venga assolutamente, domani. Gli dissi: «La pregherai a nome mio che venga, poiché ho da comunicarle cose importantissime che la riguardano. Non le dirai che qui c'è Anania Atonzu; va, figlio, che Dio ti ricompensi perché fai un'opera di carità».

– E lui? E lui?

– Lui ha promesso di condurla qui in vettura.

– Ella non verrà! Vedrete che non verrà, – disse Anania, inquieto.

– Purché non fugga ancora. Ho fatto male a non recarmi io stesso... ma sono ancora a tempo...

E voleva partire subito: ma poi si lasciò facilmente convincere a rimanere, e attese.

Un'altra triste notte passò. Nonostante la stanchezza che gli fiaccava le membra, egli dormì pochissimo, – su quel duro giaciglio dove era tristemente nato e sul quale avrebbe voluto quella notte stessa morire.

Il vento urlava sul tetto, con boati da mare in tempesta, e la sua voce rombante ricordava ad Anania l'infanzia melanconica, i terrori lontani, le notti d'inverno, il contatto di sua madre che lo stringeva a sé più per paura che per amore. No, ella non lo aveva amato: perché illudersi? ella non lo aveva amato; ma forse questa era stata la più orrenda sventura e la perdita inesorabile di Olì. Egli lo sentiva, lo sapeva; e provava una tristezza mortale, un'improvvisa pietà per lei che era vittima del destino e degli uomini.

S'ella fosse arrivata quella notte, mentre la voce del vento destava nel cuore di Anania impeti di terrore e di pietà, egli l'avrebbe accolta con tenerezza; ma la notte passò, e spuntò una giornata che il vento rendeva melanconica, ed egli trascorse ore che mise fra le più tristi e irrequiete della sua vita.

Durante quelle ore egli girò per le viuzze, come spinto dal vento, andò in qualche casa, bevette molta acquavite, ritornò dalla vedova e sedette accanto al fuoco, assalito da brividi di febbre e da una acuta irritazione nervosa.

Anche zia Grathia non trovava pace; vagava su e giù per la casa, e un'ora prima che arrivasse la corriera s'avviò per andare incontro ad Olì. Prima di uscire pregò Anania di tenersi calmo.

– Bada che ella ha paura di te...

– Andate, santa donna! – egli disse con disprezzo. – Non la guarderò neppure: le dirò soltanto poche parole.

Passò più di un'ora. Anania ricordava con amarezza la dolce ora passata nell'attendere zia Tatàna: e mentre anelava l'arrivo di Olì, il triste arrivo che doveva una buona volta porre fine ai suoi tormenti, si sentiva divorato da un cupo desiderio: che ella non arrivasse, che fosse di nuovo fuggita, scomparsa per sempre!

– Ma è anche malata, – pensava con triste conforto, – morrà ben presto!

La vedova rientrò, sola, frettolosa.

– Zitto, non arrabbiarti! – disse a voce bassa, rapidamente. – Viene! Viene! È qui: io le ho detto tutto. Zitto! Ha una paura terribile. Non farle del male, figlio!

Uscì di nuovo, lasciando aperta la porticina che il vento cominciò a sbattere, spingendola, attirandola, quasi trastullandosi con essa. Anania attese, pallido, incosciente.

Ogni volta che la porta si apriva il sole ed il vento penetravano nella cucina, illuminavano e scuotevano ogni cosa, e sparivano per ricomparire subito. Per uno o due minuti Anania seguì incoscientemente il gioco del sole e del vento, ma ad un tratto s'irritò contro la porta e mosse per chiuderla, nervoso e col volto cupo d'ira.

Egli apparve così alla misera donna che si avanzava tremando, timida e lacera come una mendicante. Egli la guardò: ella lo guardò: lo spavento e la diffidenza era negli occhi
d'entrambi. Né l'uno né l'altra pensarono neppure a stendersi
la mano, neppure a salutarsi: tutto un mondo di dolore e di
errore era fra loro e li divideva inesorabilmente, come due
mortali nemici.

Anania tenne ferma la porta, appoggiandovisi, tutto inon-
dato di sole e di vento, e seguì con gli occhi la misera figura
di Olì, mentre ella, quasi spinta da zia Grathia, si avanzava
verso il focolare. Sì, era ben lei, la pallida e scarna apparizione
intravveduta nella finestra nera della cantoniera; nel viso gial-
lo-grigiastro i grandi occhi chiari, sbiaditi dalla debolezza e
dalla paura, parevano gli occhi d'un gatto selvatico ammalato.
Appena ella si fu seduta, la vedova ebbe una magnifica idea:
lasciò soli i suoi ospiti! Ma Anania sbatté la porta e corse
irritatissimo dietro zia Grathia.

– Dove andate? Venite, tornate subito, altrimenti vado via
anch'io! – disse aspramente, raggiungendo la vecchia su per
la scaletta.

Olì dovette sentire la minaccia, perché quando Anania e
la vedova rientrarono in cucina ella piangeva presso la porta,
pronta ad andarsene. Cieco di vergogna e di dolore, Anania
le si slanciò sopra, l'afferrò per un braccio e la spinse contro
il muro, poi chiuse a chiave la porta.

– Nooo! – egli gridò, mentre la donna s'accoccolava per
terra, restringendosi tutta come un riccio e piangendo con-
vulsa. – Non partirete più! Non farete più un passo senza il
mio consentimento. Rimanete, piangete finché volete, ma di
qui non vi muoverete più. I tempi allegri son finiti.

Olì pianse più forte, tutta scossa da un fremito di spasimo;
ma nello scoppio del suo pianto risuonò quasi una frenetica

irrisione alle ultime parole di Anania; ed egli lo sentì, e la vergogna subitanea per le mostruose parole pronunziate accrebbe il suo furore.

Ah, il pianto della donna lo irritava, invece di commuoverlo; tutti gli istinti dell'uomo primitivo, barbaro e feroce, vibravano nei suoi nervi frementi: ed egli lo sentiva, ma non sapeva dominarsi.

Zia Grathia lo guardava atterrita, domandandosi se Olì non avesse ragione a temerlo; e scuoteva la testa, minacciava con ambe le mani, s'agitava, pronta a tutto pur d'impedire una scena violenta; ma non sapeva che dire, non poteva parlare. Ah, era indiavolato quel bel ragazzo ben vestito: era più terribile d'un pastore orgolese con la mastrucca, più terribile dei banditi che ella aveva conosciuti sulla montagna. Ella s'era immaginata una scena ben diversa da quella!

– Sì, – egli riprese, abbassando la voce, e fermandosi davanti a Olì, – i vostri viaggi son finiti. Ragioniamo un po': è inutile piangere, anzi dovete rallegrarvi perché avete ritrovato un buon figliuolo che vi restituirà bene per male: quindi dovete aspettarvi da lui molto bene. Di qui voi non vi muoverete più, finché non l'ordinerò io. Capite? Capite? – ripeté, sollevando di nuovo la voce, e battendosi la mano sul petto. – Adesso sono io il padrone: non sono più il bimbo di sette anni, che voi avete vilmente ingannato e abbandonato; non sono più l'immondezza che voi avete buttato via; sono un uomo ora, capite? e saprò difendermi, sì, saprò difendermi, saprò, perché voi finora non avete fatto altro che offendermi, uccidermi giorno per giorno, sempre a tradimento, sempre! sempre! e rovinarmi, capite, rovinarmi sempre più, sempre più, come si rovina una casa, un muro, così, pietra per pietra, così...

Egli faceva atto di buttar giù un muro; si curvava, sudava, quasi oppresso da una vera fatica fisica; ma d'un tratto,

improvvisamente, guardando Olì che piangeva sempre, sentì
la sua ira sbollire, svanire. Un senso di gelo lo invase. Chi
era quella donna che egli ingiuriava? Quel mucchio di stracci, quella lurida lumaca, quella mendicante, quell'essere senza
anima? Poteva ella capire ciò che egli le diceva? ciò che ella
aveva fatto? E d'altronde che poteva esserci di comune fra lui
e quella creatura immonda? Era poi davvero sua madre, quella? E se lo era, che significava, che importava? Madre non è
la donna che dà materialmente alla luce una creatura, frutto
d'un momento di piacere, e poi la butta nel mezzo della strada,
in grembo al perfido Caso che l'ha fatta nascere. No, quella
donna lì non era sua madre, non era *una madre*, sia pure incosciente: egli non le doveva nulla. Forse non aveva diritto di
rimproverarle i suoi errori, ma non doveva neppure sacrificarsi
per lei.

Sua madre poteva essere zia Tatàna, poteva essere zia Grathia, e magari Maria Obinu, e magari zia Varvara o Nanna
l'ubriacona; tutte, fuorché la miserabile creatura che gli stava
davanti.

«Avrei fatto bene a non occuparmene, davvero, come consigliava zia Grathia,» pensò. «E forse è meglio che essa ri-
prenda la sua via. Che può importarmi di lei? No, non me ne
importa niente».

Olì continuava a piangere.

– Finitela, – diss'egli freddamente, ma non più irato; e
siccome ella piangeva più forte, egli si volse alla vedova e le
fece cenno di confortarla e farla tacere.

– Non vedi che ha paura? – mormorò la vedova, passan-
dogli vicina. – Su! Su! – disse poi, battendo una mano sulle
spalle di Olì. – Finiscila, figlia. Fatti coraggio, abbi pazienza.
È inutile piangere; egli non ti divorerà, poi; è figlio delle tue
viscere, dopo tutto. Su! su! Adesso prendi un po' di caffè, poi

discorrerete meglio. Fammi il piacere, figlio, Anania, va un
po' fuori: poi ragionerete meglio. Va fuori, gioiello d'oro.

Egli non si mosse, ma Olì si calmò alquanto, e quando zia
Grathia le portò il caffè, ella prese tremando la tazza e bevette
avidamente, guardandosi attorno con occhi ancora spaventati,
diffidenti, eppure attraversati da balenìi di piacere. Ella era
avida del caffè, come quasi tutte le donnicciuole sarde, ed
Anania, che aveva un po' ereditato questa passione, la guardava e la studiava, ridiventato perfettamente cosciente; e gli
pareva di scorgere una bestia selvatica e timida, una lepre
rosicchiante l'uva nella vigna, trepida per il piacere del pasto
e per la paura di venir sorpresa.

– Ne vuoi ancora? – domandò zia Grathia, chinandosi e
parlando ad Olì come ad una bambina. – Sì? No? Se ne vuoi
ancora dimmelo pure. Dà qui la chicchera, e alzati, su, lavati
gli occhi, sta tranquilla! Hai sentito? Su, figlia!

Olì si alzò, aiutata dalla vecchia, e andò diritta alla tinozza
dell'acqua dove usava lavarsi venti anni prima: volle pulire la
chicchera, poi si lavò, e s'asciugò col grembiale bucherellato.
Le sue labbra tremavano, qualche singhiozzo le gonfiava ancora il petto, i suoi occhi arrossati e cerchiati, enormi nel viso
piccolo, sfuggivano lo sguardo freddo di Anania.

Egli guardava il grembiale bucherellato e pensava:

«Bisognerà subito farle una veste: è veramente lurida. Ho
ancora sessanta lire delle lezioni date a Nuoro: ho fatto bene
a fare quelle ripetizioni... Ne troverò anche altre. Venderò
anche i libri... Sì, occorre subito vestirla e calzarla... Avrà
anche fame...».

Quasi indovinando il suo pensiero, zia Grathia disse ad Olì:

– Hai fame? Se hai fame dimmelo pure, subito: non star lì
vergognosa; chi si vergogna patisce. Hai fame? No?

– No, – rispose Olì con voce rauca.

Anania si turbò nell'udire quella voce: era ancora la voce d'un tempo, sì, la voce lontana, la voce di *lei*. Sì, quella donna era *lei*, era *lei*, la madre, la sola, la vera, l'unica madre! Era la carne della sua carne, il membro malato, il viscere fracido che lo straziava, ma dal quale non poteva staccarsi senza lasciar la vita.

– Ebbene, allora siedi qui, – disse zia Grathia avvicinando due sgabelli al focolare, – siedi qui, figlia, e tu siedi qui, gioiello mio. Sedete qui entrambi e discorrete...

Fece sedere Olì, e pretendeva di fare altrettanto con Anania, ma egli si scosse bruscamente.

– Lasciatemi dunque; non sono un bimbo, vi ho detto! D'altronde, – egli riprese, camminando su e giù per la cucina, – c'è poco da discorrere. Ho già detto quanto dovevo dire. Ella rimarrà qui finché io non ordinerò altrimenti: voi ora le comprerete le scarpe e un vestito... vi darò i danari..., ma di questo parleremo poi... Intanto, – e alzò la voce, per significare che si rivolgeva ad Olì, – rispondete voi: che cosa rispondete dunque?

Credendo che egli parlasse con la vedova, Olì non rispose.

– Hai sentito? – le disse zia Grathia, con voce dolce. – Che cosa rispondi?

– Io? – ella chiese a bassa voce.

– Sì, tu.

– Io... nulla.

– Avete debiti? – domandò Anania.

– No.

– Verso il cantoniere, no?

– No. Si hanno tenuto tutto quanto avevo.

– Che cosa avevate?

– I bottoni d'argento della camicia, le scarpe nuove, dodici lire in argento.

– Che cosa possedete ora?

– Nulla. *Come mi vedi, mi scrivi,*[27] – diss'ella, toccandosi il grembiale. La sua voce era cupa, cavernosa.

– Avete qualche carta?

– Cosa?

– Qualche carta, – spiegò zia Grathia. – Sì, la fede di nascita?

– Sì, la fede di nascita, – ella rispose toccandosi il petto. – L'ho qui.

– Fate vedere.

Ella trasse una carta gialliccia, macchiata d'olio e di sudore, mentre Anania ripensava amaramente alle ricerche e alle indagini fatte per scoprire se Maria Obinu possedeva carte rivelatrici.

Zia Grathia prese la carta e gliela diede; egli la svolse, la lesse, la restituì.

– Perché ve la siete procurata? – domandò.

– Per sposarmi con Celestino...

– Il cieco, – spiegò la vedova, e aggiunse borbottando: – quell'immondezza vile.

Anania tacque, e continuò a camminare su e giù per la cucina: il vento sibilava incessantemente intorno alla casetta; dalle fessure del tetto piovevano alcune striscie di sole che disegnavano fantastiche monete d'oro sul pavimento nero. Anania camminava divertendosi automaticamente a mettere i piedi su quelle monete, come usava una volta, da bambino: si domandava che cosa gli restava da fare e gli sembrava d'aver già esaurito una parte del suo grave compito.

– Io ora chiamerò di là zia Grathia, – pensava, – e le consegnerò i danari perché *le* compri le vesti e le scarpe e le dia

---

[27] Espressione locale: «Non ho altro che quel che ho indosso».

da mangiare, poi partirò e vedrò... Qui non mi resta altro da
fare: è tutto fatto... È tutto fatto! – ripeté fra sé con infinita
tristezza. – Tutto è finito.

Gli venne in mente di sedersi accanto a sua madre, di
chiederle come aveva vissuto, di rivolgerle una sola parola
di dolcezza e di perdono: ma non poteva, non poteva: il solo
guardarla lo disgustava; gli pareva che ella puzzasse (e in realtà ella emanava quello sgradevole odore tutto speciale dei
mendicanti), e non vedeva l'ora di andarsene, di fuggire, di
togliersi dagli occhi quella vista dolorosa. Eppure qualche
cosa lo tratteneva; egli sentiva che la scena non poteva termi-
nare così, dopo poche frasi; pensava che Olì forse, fra la sua
paura e la sua vergogna, gioiva d'aver un figlio bello, forte,
civile; e nel suo disgusto, nel suo dolore anch'egli provava un
meschino conforto dicendo a se stesso:

– Almeno non è sfrontata: forse si può redimere ancora. È
incosciente, ma non sfrontata. Non si ribellerà.

Eppure ella si ribellò.

– Ecco, – egli ricominciò, dopo un lungo silenzio, – voi
rimarrete qui finché non avrò aggiustato i miei affari. Zia
Grathia comprerà le vesti e le scarpe...

La voce rauca e dolente risuonò forte:

– Io non voglio nulla. Io no...

– Come no? – egli chiese, fermandosi di botto davanti al
focolare.

– Io non resto.

– Che cosa? – egli gridò sporgendosi in avanti, coi pugni
stretti e gli occhi spalancati. – Spiegatevi meglio.

Ah, dunque non era tutto finito? Ella osava? perché osava? Ah, ella dunque non capiva che suo figlio aveva sofferto
e lottato durante tutta la sua vita per raggiungere uno scopo:
quello di ritirarla dalla via della colpa e del vagabondaggio,

anche sacrificandole tutto il suo avvenire? Perché ora ella osava ribellarglisi, perché voleva sfuggirgli ancora? Non capiva che egli le avrebbe impedito di far ciò, anche a costo d'un delitto?

– Spiegatevi! – egli ripeté, dominando a stento la sua collera.

E stette ad ascoltare, fremente, esaltato, ficcandosi le unghie puntute sulle palme delle mani, mentre il suo viso andava di momento in momento deformandosi sotto la pressione di un dolore senza nome.

Zia Grathia lo fissava, pronta anch'essa a gettarglisi sopra se egli osava toccare Olì. Fra le tre creature selvagge, riunite intorno al focolare, la fiamma di un tizzo sorgeva azzurrognola e cigolava: pareva piangesse.

– Ascoltami, – disse Olì animandosi, – non adirarti, tanto oramai la tua collera è inutile. Il male è fatto e nulla più lo può rimediare: tu puoi uccidermi, ma non ne ritrarrai alcun benefizio. L'unica cosa che tu possa fare è di non occuparti di me. Io non posso restare qui: me ne andrò e tu non udrai più mie notizie. Figurati di non avermi mai incontrata...

– Dove vuoi andare? – chiese la vedova. – Anch'io *gli* ho detto queste cose, ma *egli* non capisce la ragione: ci sarebbe però un mezzo... Rimani qui egualmente, invece di andar per il mondo: non diremo chi tu sei ed *egli* vivrà tranquillo come se tu fossi lontana. Perché, povera te, se vai via di qui, dove andrai?

– Dove Dio vuole...

– Dio? – proruppe Anania, dandosi forti pugni sul petto. – Dio ora vi comanda di obbedirmi. Non osate neppur più ripetere che non volete restare qui. Non osate, – egli disse come in delirio. – Credete che io scherzi, forse? Non osate muovere un passo senza ordine mio; altrimenti sarò capace di tutto...

– Per il tuo bene, – ella insisté. – Ascoltami almeno: non essere feroce con me, mentre sei indulgente con tuo padre, con quel miserabile che fu la mia rovina.

– Ella ha ragione! – disse la vedova.

– Tacete! – impose Anania.

Olì prese ancor più coraggio.

– Io non so parlare, Ananì... io ora non so parlare perché le disgrazie mi hanno reso stupida; ma una sola cosa ti domando: non avrei tutto da guadagnare restando qui? Se voglio andar via non è per il tuo bene? Rispondi. Ah, egli neppure mi ascolta! – disse poi, rivolta alla vedova.

Anania camminava nuovamente su e giù per la cucina, e pareva non udisse davvero le parole di Olì; ma a un tratto trasalì e gridò: – Ascolto!

Ella riprese umilmente:

– Perché dunque vuoi che io rimanga qui? Lasciami andare per la mia via: come un giorno ti feci del male, lascia che ora possa farti del bene. Lasciami andare: io non voglio esserti d'impedimento: lasciami andare... per il tuo bene...

– No! – egli ripeté.

– Lasciami andare, te ne supplico: sono ancor buona a lavorare. Tu non saprai più nulla di me: sparirò come la foglia portata dal vento...

Egli s'aggirò su se stesso; una terribile tentazione lo insidiò: lasciarla andare! Per un minuto secondo una folle gioia gli brillò nell'anima, al pensiero che tutto poteva considerarsi come un sogno maligno: una sola parola e il sogno svaniva e tornava la dolce realtà... Ma subito ebbe vergogna di se stesso: la sua ira crebbe, il suo grido echeggiò nuovamente nella tetra cucina.

– No!

– Tu sei una belva, – mormorò Olì, – non sei un cristiano:

sei una belva che morde le sue stesse carni. Lasciami andare, fanciullo di Dio, lasciami...

– No!

– Una belva davvero! – confermò zia Grathia, mentre Olì taceva e pareva vinta. – C'è bisogno di urlare così? Nooo! Nooo! Nooo! Fuori, se sentono, crederanno che c'è un toro selvatico, chiuso qui dentro. Son queste le cose che ti hanno insegnato a scuola?

– A scuola mi hanno insegnato questa ed altre cose, – egli disse, abbassando la voce che gli si era fatta rauca. – Mi hanno insegnato che l'uomo non deve lasciarsi disonorare, a costo di morirne... Ma voi non potete capire certe cose! Infine, tagliamo corto, e state zitte tutt'e due...

– Io non capisco? Io capisco benissimo, – protestò la vecchia.

– Nonna, voi capite davvero. Ricordatevi... Ma basta, basta! – esclamò egli, agitando le mani, stanco, nauseato.

Le parole della vecchia lo avevano colpito; egli ritornava cosciente, ricordava che si era sempre ritenuto un essere superiore, e voleva porre fine alla scena dolorosa e volgare.

– Basta, – ripeté a se stesso, lasciandosi cader seduto in un angolo della cucina e prendendosi la testa fra le mani. – Ho detto no e basta. Finitela ora, – aggiunse con voce affranta.

Ma Olì s'accorse benissimo che era invece il momento di combattere: ella non aveva più paura, e osò tutto.

– Senti, – disse con voce umile, sempre più umile, – perché vuoi rovinarti, «figlio mio?» (Sì, ella ebbe il coraggio di dir così, ed egli non protestò). Io so tutto... Tu devi sposarti con una fanciulla ricca e bella: se ella viene a conoscere che tu non mi rinneghi, ti rifiuterà. Ed ha ragione: perché una rosa non può stare vicina ad una immondezza... Fallo per lei; lasciami andare, ella crederà sempre che io non esista più.

Ella è un'anima innocente; perché dovrebbe soffrire? Io andrò
lontano, cambierò nome, sparirò portata via dal vento. Basta
il male che ti feci involontariamente... sì... involontariamente;
figlio mio, io non voglio farti più del male, no. Ah, come una
madre può fare il male a suo figlio? Lasciami andare.

Egli ebbe desiderio di gridare: «Eppure voi non mi avete
fatto altro che del male», ma si vinse. A che serviva gridare?
Era inutile e indecoroso; no, egli non voleva più gridare: solo,
col capo sempre stretto fra le mani, con voce nello stesso tempo lamentosa e rabbiosa, continuò a rispondere: – No, no, no.

In fondo sentiva che Olì aveva ragione, e capiva che ella
veramente voleva andarsene per non renderlo infelice, ma appunto l'idea che in quel momento ella era più generosa e più
cosciente di lui lo irritava e gliela rendeva odiosa. Ella si era
trasformata: i suoi occhi illuminati lo guardavano suppliche-
voli e amorosi; quando ripeteva: «lasciami andare» la sua voce
vibrava e tutto il suo volto esprimeva una tristezza senza nome.

Forse un sogno soave, che giammai prima d'allora aveva
rischiarato l'orrore della sua esistenza, le sfiorava l'anima: restare, vivere per *lui*, trovar finalmente pace. Ma dal profondo
dell'anima primitiva un istinto di bene, – la scintilla che si
cela anche nella selce, – la spingeva a non badare a quel sogno. Una sete di sacrifizio la divorava, ed Anania lo capiva,
e sentiva finalmente che ella voleva a modo suo compiere il
proprio dovere, come egli a modo suo voleva compiere il suo.
Egli però era il più forte e voleva e doveva vincere con tutti i
mezzi, anche con la violenza, anche con la necessaria crudeltà
del medico che per guarire il malato gli apre la carne coi ferri.

Ad un tratto ella si gettò per terra, ricominciò a piangere,
supplicò, gridò. Anania rispose sempre no.

– Che farò dunque io? – ella singhiozzò. – Nostra Signora
mia, cosa farò io? Bisogna che ti abbandoni ancora con in-

ganno, per farti il bene per forza? Sì, io ti lascerò, io me ne
andrò. Tu non sei il mio padrone. Io non so chi tu sei... Io
sono libera... e me ne andrò...

Egli sollevò il volto e la guardò.

Non era più irato; ma i suoi occhi freddi e il suo viso livido, improvvisamente invecchiato, incutevano spavento.

– Sentite, – disse con voce ferma, – finiamola. È deciso
tutto, e non c'è da discutere oltre. Voi non muoverete un
passo senza che io lo sappia. E badate bene, e tenete a mente
le mie parole come se fossero le parole di un morto: se finora ho sopportato il disonore della vostra vita vergognosa era
perché non potevo impedirlo, e perché speravo di por fine a
tale obbrobrio. Ma d'ora in avanti sarà altra cosa. Se voi vi
permettete di andar via di qui vi seguirò, vi ucciderò e mi
ucciderò! Tanto non mi importa più nulla di vivere!

Olì lo guardava con terrore: in quel momento egli era
rassomigliantissimo a zio Micheli, il padre, quando l'aveva
cacciata via dalla cantoniera; gli stessi occhi freddi, lo stesso
volto calmo e terribile, la stessa voce cavernosa, lo stesso accento inesorabile. Le parve di vedere il fantasma del vecchio,
che risorgeva per castigarla, e sentì l'orrore della morte intorno a sé.

Non disse più parola, e si accoccolò per terra, tutta tremante di spavento e di disperazione.

*
**

Una triste notte cadde sul villaggio desolato dal vento.

Anania, che non aveva potuto trovare un cavallo per ri-
partire subito, dovette passare la notte a Fonni, e dormì d'un
sonno inquieto, simile al sonno di un condannato nella prima
notte dopo la sentenza.

Olì e la vedova vegliarono lungamente accanto al fuoco: Olì aveva il freddo foriero della febbre e batteva i denti, sbadigliava e gemeva. Come in una notte lontana, il vento rombava sopra la cucina vigilata dalla spoglia nera del bandito, e la vedova filava, alla luce giallognola del fuoco, impassibile e pallida come uno spettro: ma questa volta ella non narrava alla sua ospite le storie del marito, e non osava confortarla. Solo, di tanto in tanto, la supplicava inutilmente di andare a letto.

– Andrò se mi fate una carità, – disse finalmente Olì.

– Parla.

– Chiedetegli se egli ha ancora la *rezetta* che gli diedi il giorno che siamo fuggiti di qui; e pregatelo di farmela vedere.

La vecchia promise, e Olì si alzò: tremava tutta, e sbadigliava tanto che le sue mascelle scricchiolavano. Tutta la notte vaneggiò, arsa dalla febbre; ogni tanto chiedeva la *rezetta* e si lamentava infantilmente perché zia Grathia, coricatale a fianco, non si alzava e non andava da Anania per chiedergliela.

Un dubbio le attraversava la mente in delirio: che Anania non fosse suo figlio. No, egli era troppo crudele e spietato; ella, che era stata la vittima di tutti non poteva convincersi che suo figlio dovesse torturarla più degli altri.

Nel delirio raccontò a zia Grathia che aveva attaccato al collo di Anania quel sacchettino per riconoscerlo quando sarebbe stato grande e ricco.

– Io volevo andare a trovarlo un giorno, vecchia vecchia, col bastone. *Dun! dun!* picchiavo alla sua porta. «Io sono Maria Santissima trasformata in mendicante!» I servi ridevano e chiamavano il padrone. «Vecchia, che cosa vuoi?» «Io so che tu hai un sacchettino così e così: io so chi te lo ha dato; se tu oggi hai tante *tancas* e servi e buoi lo devi a quella povera anima che ora è ridotta a sette once di polvere. Addio, dammi un po' di pane col miele. E perdona alla povera anima». «Servi,

segnatevi, questa vecchia che indovina ogni cosa è Maria Santissima...» Ah, ah, ah, la *rezetta*, la voglio... Quel giovine non
è... *lui!* La *rezetta*... la *rezetta*...

All'alba zia Grathia entrò da Anania e gli raccontò ogni cosa.

– Ah, – diss'egli con un sorriso amaro, – ci voleva anche
questa! che ella dubitasse! Gliela farò vedere io... se sono io!

– Figlio, non essere snaturato: contentala almeno in questa piccola cosa... – supplicò zia Grathia.

– Ma io non l'ho più quel sacchettino; l'ho buttato via: se
lo ritroverò ve lo manderò.

Zia Grathia insisté inoltre per sapere l'esito del colloquio
che Anania avrebbe avuto con la fidanzata.

– Se ella veramente ti vuol bene, si rallegrerà della tua buona azione, – gli disse, per confortarlo. – No non ti rifiuterà,
anche se tu le dici che non rinneghi tua madre. Ah, l'amore
vero non bada ai pregiudizi del mondo: io amavo pazzamente
mio marito quando tutto il resto del mondo lo disprezzava...

– Vedremo, – disse melanconicamente Anania, – vi scriverò...

– Per carità, non scrivermi, gioiello d'oro! Io non so leggere, lo sai, e non voglio far sapere a nessuno i fatti tuoi.
Piuttosto mandami *un segno*. Senti, se ella non ti rifiuta mandami la *rezetta* avvolta in un fazzoletto bianco; se ti rifiuta,
mandala avvolta in un fazzoletto di colore...

Egli promise di contentare la vecchia.

– Ma tu quando tornerai?

– Non so; fra non molto certamente, appena avrò aggiustato i miei affari.

Egli partì senza aver riveduto Olì; un'angoscia infinita
l'opprimeva; il viaggio gli sembrava eterno, e sebbene un te-
nue filo di speranza lo guidasse, non avrebbe voluto arrivare
mai a Nuoro.

«Ella mi ama,» pensava, «forse mi ama come nonna amava suo marito. La sua famiglia mi disprezzerà, mi caccerà; ma ella mi dirà: Ti aspetterò, ti amerò sempre.... Sì, ma che posso io prometterle? Oramai il mio avvenire è distrutto.

Un'altra speranza inconfessabile, egli sentiva però in fondo al cuore: che Olì fuggisse ancora: egli non osava palesare a se stesso questa speranza, ma la sentiva, la sentiva; e se ne vergognava, e ne calcolava tutta la viltà, ma non poteva scacciarla... Nel momento in cui aveva gridato: «Vi ucciderò e mi ucciderò», era stato sincero, ma ora gli pareva che tutto fosse stato un orribile sogno; e nel rivedere la strada e i paesaggi che tre giorni prima aveva attraversato con tanta gioia nell'anima, e nell'avvicinarsi a Nuoro, il senso della realtà lo stringeva acerbamente.

Appena arrivato cercò il sacchettino, e per un'idea superstiziosa, – poiché egli credeva che le cose prevedute non avvengono, – lo avvolse in un fazzoletto di colore. Ma poi pensò che i tristi avvenimenti di quei giorni egli li aveva sempre attesi e preveduti, e si irritò contro la sua puerilità.

– Del resto, perché debbo mandare il sacchettino? Perché debbo contentarla? – disse fra sé, sbattendo l'involto contro il muro. Ma subito lo raccattò, pensando: «Per zia Grathia. Alle quattro vado dal signor Carboni e gli dico tutto,» decise poi. – Bisogna finirla oggi stesso. Bisogna esser uomini. Ed ora dormiamo.

Si buttò sul letto e chiuse gli occhi. Eran circa le due; un meriggio caldissimo e silenzioso. Egli aveva ancora nelle orecchie il rombo del vento, ricordava il freddo della notte passata a Fonni, e provava una strana impressione. Gli pareva d'esser caduto in un abisso roccioso, fra montagne erte desolate che soffocavano il breve orizzonte; ricordi lontani gli risalivano dal profondo dell'anima: le notti di febbre a

Roma, il fragore del vento su Bruncu Spina, una poesia del Lenau: *I Masnadieri nella Taverna della landa*, la canzone del mandriano che era passato nella straducola la sera in cui zia Tatàna aveva chiesto la mano di Margherita. Ma nello sfondo della sua immaginazione nereggiava sempre la cucina della vedova, col cappotto nero e vuoto come un simbolo, con la figura di Olì dai grandi occhi di gatto selvatico. Che dolore e che tristezza gli causavano ora quegli occhi!

Così rimase a lungo, senza poter dormire, ma con gli occhi ostinatamente chiusi, immerso in un cupo torpore. A un tratto pensò alla morte, meravigliandosi che questo pensiero non gli fosse ancora balenato in mente.

– Nessuna cosa è più certa della morte; eppure ci tormentiamo tanto per cose che passano inesorabilmente. Tutto passerà: tutti morremo: perché soffrire così?... E se alle quattro mi suicidassi? Sì.

Per qualche momento l'impressione della fine lo gelò tutto. Passò, ma gli lasciò una oppressione così spaventosa che egli sentì il bisogno di scuotersi per liberarsene. Solo allora si accorse che, in fondo, mentre gli pareva d'esser in preda alla più cupa disperazione, egli sperava sempre.

– Margherita! Margherita! Parlerò con lei stanotte; ella mi dirà di tacere ogni cosa a suo padre, di aspettare, di fingere. No, non voglio essere vile. Voglio essere uomo. Alle quattro sarò dal signor Carboni.

Alle quattro, infatti, egli passò davanti alla porta di Margherita, ma non poté fermarsi, non poté suonare. E passò oltre avvilito, pensando di ritornare più tardi, ma convinto, in fondo, che non sarebbe riuscito giammai di aver il colloquio col padrino.

Due giorni e due notti trascorsero così in una vana battaglia di pensieri cangianti come onde agitate. Nulla pareva mutato nella sua vita e nelle sue abitudini; egli aveva ripreso a dar lezioni agli studentelli in vacanza, leggeva, mangiava, passava sotto le finestre di Margherita e vedendola la guardava ardentemente: ma durante la notte zia Tatàna lo udiva camminare per la camera, scendere nel cortile, uscire, rientrare, vagare: pareva un'anima in pena, e la buona vecchia lo credeva ammalato.

Che aspettava egli? Che sperava?

Il giorno dopo il suo ritorno, vedendo un uomo di Fonni attraversare la viuzza, impallidì mortalmente.

Sì, egli aspettava qualche cosa... qualche cosa d'orribile: la notizia che *ella* fosse scomparsa nuovamente; e si accorgeva benissimo della sua viltà, ma nello stesso tempo era pronto ad eseguire la sua minaccia: «vi seguirò, vi ucciderò, mi ucciderò». In certi momenti gli pareva che niente fosse vero; nella casa della vedova c'era soltanto la vecchia, col suo cappotto e le sue leggende: niente altro... niente altro...

La seconda notte dopo il suo ritorno udì zia Tatàna raccontare una fiaba ad un bimbo del vicinato: «...La donna fuggiva, fuggiva, gettando dei chiodi che si moltiplicavano, si moltiplicavano, coprivano tutta la pianura. Zio Orco la inseguiva, la inseguiva, ma non arrivava a prenderla perché i chiodi gli foravan i piedi...».

Che piacere angoscioso aveva destato quella fiaba in Anania bambino, specialmente nei primi giorni dopo il suo abbandono! Quella notte egli sognò che l'uomo di Fonni gli aveva portato la novella: ella era fuggita... egli la inseguiva, la inseguiva... attraverso una pianura coperta di chiodi... Eccola, ella è là, all'orizzonte: fra poco egli la raggiungerà e la ucciderà; ma egli ha paura, ha paura... perché ella non è Olì, è il mandriano passato nella viuzza mentre zia Tatàna era dal signor Carboni... Anania corre, corre; i chiodi non lo pungono, eppure egli vorrebbe che lo pungessero... Olì, trasformata in mandriano, canta: canta i versi del Lenau: *I Masnadieri nella Taverna della landa*; ecco, egli sta per raggiungerla e ucciderla, e un gelo di morte lo agghiaccia tutto...

Si svegliò coperto da un sudore freddo, mortale; il cuore non gli batteva più, ed egli scoppiò in un pianto d'angoscia violenta.

Il terzo giorno Margherita, meravigliata che egli non scrivesse, lo invitò al solito convegno. Egli andò, raccontò la gita, si abbandonò alle carezze di lei come un viandante stanco si abbandona alle carezze del vento, all'ombra d'un albero, sull'orlo della via; ma non poté dire una sola parola sul cupo segreto che lo divorava.

« 18 settembre, ore due di notte.

« *Margherita,*

« Sono rientrato a casa adesso, dopo aver pazzamente errato per le strade. Mi pare d'impazzire da un momento all'altro ed è anche questa paura che mi spinge a confidarti, – dopo una lunga inenarrabile indecisione, – il dolore che mi uccide. Ma voglio esser breve. Margherita, tu sai chi io sono: figlio della colpa, abbandonato da una madre più disgraziata che colpevole, io sono nato sotto un astro terribile e devo espiare delitti non miei. Inconsapevole del mio triste destino, spinto dalla fatalità, io ho trascinato con me, nell'abisso dal quale io non potrò mai uscire, la creatura che ho amato sopra tutte le creature della terra. Te, Margherita... Perdonami, perdonami! Questo è il mio più immenso dolore, il rimorso terribile che mi strazierà per tutto il resto della vita, se pure vivrò... Senti. Mia madre è viva: dopo una esistenza di colpe e di dolori, ella è risorta davanti a me come un fantasma. Essa è miserabile, malata, invecchiata dal dolore e dalle privazioni. Il mio dovere, tu stessa lo dici a te stessa in questo momento, è di redimerla. Ho deciso di riunirmi con lei, di lavorare per sostenerla, di sacrificare la vita stessa, se occorre, per compiere il mio dovere.

» Margherita, che dirti altro? Mai come in questo momento ho sentito il bisogno di aprirti tutta l'anima mia, simile ad un mare in tempesta, e mai ho sentito mancarmi le parole come mi mancano in quest'ora decisiva della mia vita.

» La ragione stessa mi manca; ho ancora sulle labbra il profumo dei tuoi baci e tremo di passione e di angoscia... Margherita, Margherita, la mia vita è nelle tue mani! Abbi pietà di me ed anche di te. Sii buona come io ti ho sempre sognata! Pensa che la vita è breve, e che la sola realtà della vita è l'amore, e che nessun uomo della terra ti amerà come ti amo e ti amerò io. Non calpestare la nostra felicità per i pregiudizi umani, i pregiudizi che gli uomini invidiosi inventarono per rendersi scambievolmente infelici. Tu sei buona, sei superiore: dimmi almeno una parola di speranza per l'avvenire.

» Ma che dico? Io divento pazzo; perdonami, e ricordati che, qualunque cosa accada, io sarò sempre tuo per l'eternità. Scrivimi subito...

A. »

« 19 settembre.

« *Anania*,

« La tua lettera mi sembra un orrendo sogno. Anch'io non trovo parole per esprimermi. Vieni stanotte, alla solita ora, e decideremo assieme il nostro destino. Sono io che devo dire: la mia vita è nelle tue mani. Vieni, ti aspetto ansiosamente...

M. »

« 19 settembre.

« *Margherita,*

« Il tuo bigliettino mi ha gelato il cuore; sento che il mio destino è già deciso, ma un filo di speranza mi guida ancora. No, non posso venire; anche volendolo non potrei venire. Non verrò se tu non mi dirai prima una parola di speranza. Allora correrò a te per inginocchiarmi ai tuoi piedi e per ringraziarti e adorarti come una santa. Ma ora no, non posso, e non voglio. Quanto ti scrissi la notte scorsa è la mia irrevocabile decisione; scrivimi, non farmi morire in questa attesa terribile.

» Il tuo infelicissimo

A. »

« 19 settembre, mezzanotte.

« *Anania, Nino mio,*

« Ti ho aspettato fino a questo momento, palpitante di dolore e di amore, ma tu non sei venuto, tu forse non verrai mai più, ed io ti scrivo, in quest'ora soave dei nostri convegni, con la morte nel cuore e le lagrime negli occhi non ancora stanchi di piangere. La luna smorta cala sul cielo velato, la notte è melanconica e quasi lugubre e mi pare che tutto il creato si rattristi per la sventura che opprime il nostro amore.

» Anania, perché mi hai tu ingannato?

» Io sapevo sì, come tu dici, quello che tu sei, e ti amai appunto perché sono superiore ai pregiudizi umani, perché volevo ricompensarti delle ingiustizie che la sorte aveva tramato a tuo danno, e sopratutto perché credevo che anche tu, anche tu fossi superiore ai pregiudizi, e avessi riposto in me, come io avevo riposto in te, tutta la tua vita.

» Invece mi sono ingannata; o meglio sei stato tu ad ingannarmi, tacendomi i tuoi veri sentimenti. Ho sempre creduto

che tu sapessi che tua madre viveva, e dove si trovava, e la vita
che conduceva; ma ero certa che tu, vilmente abbandonato da
lei, non facessi più caso d'una madre snaturata, tua sventura
e disonore, e la ritenessi come morta per te e per tutti... Non
solo, ma ero certa che se ella osava presentarsi a te, come pur
troppo é accaduto, tu non ti saresti degnato neppure di guardarla... E invece, invece! Invece tu ora scacci chi ti ha lungamente amato e ti amerà sempre, per sacrificare la tua vita e il
tuo onore a chi ti ha abbandonato, bambino inconsapevole; a
chi ti avrebbe ucciso o lasciato in un bosco, in un deserto, pur
di liberarsi di te.

» Ma è inutile che io ti scriva queste cose, perché tu certamente le capisci meglio di me; ed è inutile che tu continui
ad illudermi e ad invocare sentimenti che io non posso avere
dal momento che neppure tu li hai.

» Perché, vedi, io capisco benissimo che tu vuoi sacrificarti
non per affetto, e neppure per generosità, – perché probabil-
mente tu odii giustamente la donna che fu la tua rovina, – ma
spinto da quei pregiudizi umani *inventati dagli uomini per
rendersi scambievolmente infelici.*

» Sì, sì: tu vuoi sacrificarti per il mondo; tu vuoi rovinarti
e rovinare chi ti ama, solo per la vanità di sentir dire: *hai fatto
il tuo dovere!*

» Tu sei un fanciullo, e il tuo è un sogno pericoloso ma
anche, permettimi di dirtelo, anche ridicolo.

» La gente, sapendolo, ti loderà, sì, ma in fondo riderà
della tua semplicità.

» Anania, torna in te, – sii buono, con te e con me, come
tu dici, e soprattutto sii uomo.

» No, io non dico di abbandonare tua madre, debole e
infelice, come essa ti ha abbandonato: no, noi l'aiuteremo,
noi lavoreremo per lei, se occorre, ma che essa stia lontana da

noi, che essa non venga a mettersi fra noi, a turbare la nostra vita con la sua presenza. Mai! mai! Perché dovrei ingannarti, Anania? Io non posso neppure lontanamente ammettere la possibilità di vivere assieme con lei... Ah, no! Sarebbe una vita orrenda, una continua tragedia; meglio morire una buona volta che morire lentamente di rancore e di disgusto. Io non ho mai amato quella disgraziata; ora ne sento pietà, ma non posso amarla; e ti scongiuro di non insistere nel tuo pazzo progetto, se non vuoi farmela nuovamente odiare mille volte più di prima. Questa la mia ultima decisione; sì, aiutarla, ma tenerla lontana, che io non la veda mai, che possibilmente il mondo dove vivremo noi ignori che ella esiste.

» Pensa che anche lei, forse, sarà più contenta di vivere lontana da te, la cui presenza le causerebbe un continuo rimorso. Tu dici che è invecchiata dal dolore, dalle privazioni, miserabile e malata; ma di chi la colpa se non sua? Per te, ed anche per lei, è meglio che ella si trovi in quello stato; così cesserà di vagabondare, e, non ti disonorerà più; ma che ella, dopo averti oltraggiato quando era sana e giovane, non si faccia un'arma della miseria e della debolezza per richiedere il sacrifizio della tua felicità!... Ah, questo no, non devi permetterlo mai!

» No, non è possibile che tu compia una aberrazione fatale! A meno che tu non mi ami più e colga l'occasione per... Ma no, no, no! Neppure voglio dubitare di te, della tua lealtà e del tuo amore!

» Anania, ritorna in te, ti ripeto, non essere malvagio e crudele con me, che ti diedi tutti i miei sogni, tutta la mia giovinezza, tutto il mio avvenire, mentre vuoi essere generoso verso chi ti ha odiato e rovinato.

» Abbi pietà... vedi... io piango, io ti imploro, anche per te, che vorrei veder felice come sempre sognai... Ricordati tutto il nostro amore, il nostro primo bacio, i giuramenti, i sogni, i progetti, tutto, tutto ricorda! Fa che tutto non si risolva in un pugno di cenere; fa che io non muoia di dolore; fa che tu stesso non abbi a pentirti del tuo pazzo procedere. Se non vuoi dar retta ai miei consigli interroga persone serie, persone di Dio, e vedrai che tutti ti diranno qual è il tuo vero dovere, che tutti ti diranno di non essere ingrato, né malvagio.

» Ricorda, Anania, ricorda! Anche ieri notte mi dicevi che dalla vetta del Gennargentu gridasti il tuo amore, proclamandolo eterno. Dunque mentivi; anche ieri notte mentivi? E perché?... Perché mi tratti così! Che ho fatto io per meritarmi tanto dolore? Possibile che tu non ricordi come ti ho sempre amato? Ricordi una sera che io stavo alla finestra e tu mi buttasti un fiore, dopo averlo baciato? Io conservo quel fiore per ornarne il mio vestito da sposa; e dico *conservo* perché son certa che tu sarai il mio sposo diletto, che tu non vorrai far morire la tua Margherita (e il tuo sonetto lo ricordi?), che saremo tanto felici, nella nostra casetta, soli soli col nostro amore ed il nostro dovere. Sono io che aspetto da te, subito, una parola di speranza. Dimmi che tutto fu un sogno tormentoso; dimmi che la ragione è ritornata in te, e che ti penti d'avermi fatto soffrire.

» Domani notte, o meglio stanotte, perché è già passata la una, ti aspetto; non mancare; vieni, adorato, vieni, diletto mio, mio amato sposo, vieni: io ti aspetterò come il fiore aspetta la rugiada dopo una giornata di sole ardente; vieni, fammi rivivere, fammi dimenticare; vieni, adorato, le mie labbra, ora bagnate d'amaro pianto, si poseranno sulla tua bocca amata come... »

. . . .

– No! no! no! – disse convulso Anania, torcendo la lettera senza leggerne le ultime righe. – Non verrò! Sei vile, vile,

vile! Morrò ma non mi vedrai mai più.

Coi fogli stretti nel pugno si gettò sul letto, e nascose il viso sul guanciale, mordendolo, comprimendo i singhiozzi che gli gonfiavano la gola.

Un fremito di passione lo percorreva tutto, dai piedi alla nuca; le invocazioni di Margherita gli davano un desiderio cupo dei baci di lei, e a lungo lottò acerbamente contro il folle bisogno di rileggere la lettera sino in fondo.

Ma a poco a poco riprese coscienza di sé e di ciò che provava. Gli parve di aver veduto Margherita nuda, e di sentire per lei un amore delirante e un disgusto così profondo che annientava lo stesso amore.

Come ella era vile! Vile sino alla spudoratezza. Vile e coscientemente vile. La Dea ammantata di maestà e di bontà aveva sciolto i suoi veli aurei ed appariva ignuda, impastata d'egoismo e di crudeltà; la Minerva taciturna apriva le labbra per bestemmiare; il simbolo s'apriva, si spaccava come un frutto, roseo al di fuori, nero e velenoso all'interno. Ella era la Donna, completa, con tutte le sue feroci astuzie.

Ma il maggior tormento di Anania era il pensare che ella indovinava i suoi più segreti sentimenti e che aveva ragione: soprattutto ragione di rimproverargli l'inganno usatole, e di pretendere da lui il compimento dei suoi doveri di gratitudine e d'amore.

«È finita!» pensò. «Doveva finire così».

Si rialzò e rilesse la lettera: ogni parola lo offendeva, lo disgustava e lo umiliava. Margherita dunque lo aveva amato per compassione, pur credendolo vile come era vile lei. Ella forse aveva sperato di farsi di lui un servo compiacente, un marito umile; o forse non aveva pensato a nulla di tutto questo; ma lo aveva amato solo per istinto, perché era stato il primo a baciarla, il solo a parlarle d'amore.

«Ella non ha anima!» pensò il disgraziato. «Quando io de-
liravo, quando io salivo alle stelle e mi esaltavo per sentimenti
sovrumani, ella taceva perché nella sua anima era il vuoto,
ed io adoravo il suo silenzio che mi sembrava divino; ella ha
parlato solo quando si destarono i suoi sensi, e parla ora che
la minaccia il pericolo volgare del mio abbandono. Non ha
anima né cuore. Non una parola di pietà: non il pudore di
mascherare almeno il suo egoismo. Eppoi come è astuta! La
sua lettera è copiata e ricopiata, sebbene riveli la grossolana
ignoranza di lei: quanti *che* ci sono! Mi sembrano martel-
li, pronti a fracassarmi il cranio. Le ultime righe, poi, sono
un capolavoro... ella sapeva già, prima di scriverle, l'effetto
che dovevano produrre... ella è più vecchia di me... ella mi
conosce perfettamente, mentre io comincio appena adesso a
conoscerla... ella vuole attirarmi al convegno perché è sicura
che se io ci vado mi inebrio e divento vile... Inganno! inganno! inganno! Come la disprezzo ora! Non una parola buona,
non uno slancio generoso, niente, niente! Ah, che rabbia!
(torse di nuovo la lettera) Vi odio tutti; vi odierò sempre!
Voglio essere cattivo anch'io; voglio farvi soffrire, schiantare,
morire... Cominciamo!»

Prese il sacchettino ancora avvolto nel fazzoletto di colore,
e poco dopo lo mandò a zia Grathia.

– Tutto è finito! – ripeteva ogni momento. E gli pareva di
camminare nel vuoto, fra nuvole fredde, come sul Gennargentu; ma adesso invano guardava sotto, intorno a sé: non via
di scampo; tutto nebbia, vertigine, orrore.

Durante la giornata pensò cento volte al suicidio; s'informò se poteva presentarsi subito agli esami per maestro elementare o per segretario comunale; andò nella bettola e presa
fra le braccia la bella Agata (già fidanzata con Antonino), la
baciò sulle labbra. Turbini di odio e di amore per Margherita

gli attraversavano l'anima; più rileggeva la lettera più ella gli sembrava perfida; più sentiva d'allontanarsele più l'amava e la desiderava.

Baciando Agata ricordava l'impressione violenta che il bacio della bella paesana gli aveva destato un giorno; anche allora Margherita era tanto lontana da lui, un mondo di poesia e di mistero li divideva; e questo stesso mondo, crollato, li divideva ancora.

– Che hai? – gli chiese Agata, lasciandosi baciare. – Vi siete bisticciati, con *lei*? Perché mi baci?

– Perché mi piaci... Perché sei puzzolente...

– Tu hai bevuto, – diss'ella, ridendo. – Se ti piacciono le donne così, puoi andare da Rebecca... Se però Margherita viene a saperlo!

– Taci! – diss'egli, adirandosi. – Non pronunziar neppure il suo nome...

– Perché? – chiese Agata, freddamente maligna. – Non diverrà mia cognata? È forse diversa da noi? È una donna come noi. Perché noi siamo povere? Chissà poi se anch'ella sarà ricca! Se fosse stata certa di ciò, forse ti avrebbe tenuto sempre a bada finché trovava un partito migliore di te!

– Se non la finisci ti batto... – diss'egli furibondo.

Ma l'insinuazione di Agata accrebbe i suoi sentimenti: oramai egli riteneva Margherita capace di tutto.

Verso sera si mise a letto, con la febbre, deciso a non alzarsi, l'indomani, affinché Margherita venisse a sapere ch'egli era malato, e ne soffrisse. Giunse ad immaginarsi una segreta visita di lei; e pensando alla scena che ne sarebbe seguita, tremava di dolcezza. Ma ad un tratto questo sogno gli apparve qual era, puerilmente sentimentale, e ne provò vergogna. Si alzò ed uscì.

Alla solita ora si trovò davanti al portone di Margherita.

Ella stessa aprì. Si abbracciarono e si misero entrambi a piangere; ma appena Margherita cominciò a parlare, egli sentì un invincibile disgusto per lei, poi un senso di gelo.

No, egli non l'amava più, non la desiderava più. Si alzò e andò via senza pronunziar parola.

Giunto in fondo alla strada tornò indietro, s'appoggiò al portone e chiamò:

– Margherita!

Ma il portone rimase chiuso.

CAPITOLO IX

« 20 settembre.

« Il tuo procedere d'ieri notte mi ha finalmente rivelato il tuo carattere ed i tuoi sentimenti. Crederei inutile dirti che tutto è finito e *inesorabilmente* fra noi, se tu non prendessi il mio silenzio per un segno di attesa umiliante. Addio dunque e per sempre.

» M.

» *P.S.* Desidero riavere le mie lettere: - io ti restituirò le tue. »

*
**

« Nuoro, 20 settembre.

« *Caro padrino,*

« Volevo io stesso venire da Lei per dichiararle a voce quanto sto per scriverle, ma in questo momento ricevo da Fonni la notizia che mia madre trovasi là gravemente malata e sono costretto a partire immediatamente. Ecco dunque quanto volevo dirle.

» Sua figlia mi avverte che ritira la promessa di matrimonio, stretta fra noi con consentimento Suo. Margherita Le spiegherà meglio, se già non lo ha fatto, il perché di questa sua decisione, da me pienamente accettata. I nostri caratteri sono troppo diversi perché noi possiamo andare d'accordo; per fortuna nostra, ed anche delle persone che ci amano, abbiamo fatto in tempo questa triste scoperta, che se ci rende infelici

adesso, impedisce però un errore che poteva causare la disgra-
zia di tutta la nostra vita.

» Sua figlia sarà certamente fortunata quanto merita, e incontrerà un uomo degno di lei; nessuno più di me le augura
ogni felicità; io... seguirò il mio destino...

» Ah, caro padrino, rileggendo questa mia lettera, dopo le
spiegazioni che Le darà Sua figlia, non mi accusi d'ingratitu-
dine e d'orgoglio. No, qualunque cosa succeda, resti io libero
o no di compiere gravissimi doveri verso una madre infelice,
io considero finito ogni rapporto fra me e la Sua famiglia;
ma nel mio cuore conserverò sempre, fino all'ultimo soffio
di vita, la riconoscenza e soprattutto la venerazione per Lei.

» In quest'ora dolorosa della mia vita, mentre gli avvenimenti mi spingono a disperare di tutto e di tutti, e specialmente di me stesso, la sua figura, padrino, la sua figura onesta
e buona mi guida ancora, come mi guidò fin dal primo giorno che La conobbi; e mi fa ancora credere che esista la bontà
umana. E il dovere della riconoscenza verso di Lei mi anima
ancora a vivere, mentre la luce della vita mi manca intorno...
Altro non so dirle: ma l'avvenire Le dimostrerà meglio i miei
sentimenti, e, spero, non le permetterà di pentirsi di avermi
fatto del bene.

> » Suo sempre riconoscentissimo
> ANANIA ATONZU. »

*
**

Verso le tre del pomeriggio Anania era già in viaggio
verso Fonni, su un vecchio cavallo cieco d'un occhio, che in verità non procedeva come l'occasione
avrebbe richiesto. Ma, ahimè, perché nasconderlo? Anania
non aveva fretta, sebbene il carrozziere, per mezzo del quale

zia Grathia aveva mandato la notizia del grave stato di Olì, avesse detto:

– Bisogna che *vostè* parta subito; forse troverà la *donna* già morta.

Per un pezzo Anania pensò solamente alla lettera ch'egli stesso, passando a cavallo, aveva consegnato alla serva del signor Carboni.

«Egli mi disprezzerà,» pensava. «Darà ragione a sua figlia quando essa gli avrà esposto le mie strane pretese. Sì, qualunque donna avrebbe agito come ha agito lei; io ho avuto torto, ma con qualunque donna anch'io avrei agito come ho agito con lei».

Poi ripensò alle ultime righe della sua lettera.

«Faranno buona impressione. Forse dovevo aggiungere che il torto è tutto mio, ma che non *potevo* agire altrimenti: ma no, *essi* non potrebbero capirmi, come non potranno mai perdonarmi. Tutto è finito».

E all'improvviso sentì un impeto di gioia ricordandosi che sua madre moriva; ma subito cercò di inorridire di se stesso.

«Sono un piccolo mostro,» pensò; ma la sua gioia era così profonda e crudele che le stesse parole *piccolo mostro* gli parvero qualche cosa di buffo e lo esilararono».

Dopo un momento, però, sentì davvero orrore di ciò che provava.

«Ella muore,» pensò, «e sono io che la uccido: ella muore di paura, di rimorso, di dolore. Sì, io l'ho vista l'altro giorno ripiegarsi, restringersi, con gli occhi pieni di disperazione: le mie parole l'hanno ferita come pugnalate. Che cosa lurida è il cuore umano! Ecco che io gioisco del mio delitto, e godo come un prigioniero che riacquista la libertà dopo aver ucciso il carceriere, – mentre accuso di viltà Margherita e la disprezzo perché ella dice sinceramente di non potere amare una donna perduta. Ah, io sono ben più vile; cento volte più vile di lei. Ma posso io sentire altrimenti? Qual turbine di contraddizioni spaventevoli, qual forza malvagia trascina e contorce l'anima umana? E perché, anche comprendendo e aborrendo questa forza, non possiamo vincerla? Il Dio che governa l'universo è il Male, un Dio mostruoso che vive entro di noi come il fulmine nell'aria. E chissà, forse, mentre io mi rallegro per la probabile morte di quella disgraziata, questa potenza infernale che ci opprime e ci deride fa migliorare l'infelice, e la farà guarire per mio castigo.

Questo pensiero lo rattristò di nuovo; ed egli sentì orrore della sua tristezza, come aveva sentito orrore della sua gioia: ma non poté vincere né l'una né l'altra.

Il tramonto lo avvolse mentre egli saliva da Mamojada a Fonni: un velo di dolcezza stendevasi sul grande paesaggio roseo: le ombre che si allungavano soavemente sul tappeto dorato delle stoppie davano l'idea di persone dormienti, e le montagne rosee si fondevano col cielo roseo, ove la luna mostrava già la sua unghia di perla.

Anania cominciò a sentirsi meno cattivo; anche l'anima sua s'elevava verso un paesaggio mistico e puro.

«Un tempo ho creduto di esser buono,» egli pensava: «inganno, sempre inganno. Pensando a *lei* mi esaltavo come quando pensavo a Margherita: mi pareva di amarla e di poterla redimere, e di rendere così la mia esistenza utile. Invece l'ho uccisa. Che farò ora? Che ne farò della mia libertà? Della mia *miserabile tranquillità*? Non sarò mai più felice; non crederò più né agli altri né a me stesso. Ora sì, ora capisco che cosa è l'uomo: è una vana fiamma che passa nella vita e incenerisce tutto ciò che tocca, e si spegne quando non ha più nulla da distruggere...

A misura che egli saliva, il sole calava: era un tramonto

meraviglioso. Passando sotto un albero egli fermò il cavallo per contemplare uno squarcio di paesaggio che sembrava un quadro simbolico: le montagne s'eran fatte violette; una lunga nuvola dello stesso colore oscurava l'orizzonte in alto: fra la nuvola e le montagne il cielo d'oro e un grande sole cremisi senza raggi. In quel momento, non seppe perché, Anania si sentì buono: buono e triste. Arrivò a desiderare sinceramente la guarigione di sua madre: gli parve di provare una infinita pietà per lei, e il bel sogno infantile, d'una vita di sacrifizio dedicata interamente alla redenzione dell'infelice, gli brillò nell'anima, grande e melanconico come quel sole morente.

Ma ad un tratto s'accorse che egli faceva quel sogno esclusivamente per sé, – perché ormai non gliene restava altro, – e paragonò la sua tardiva generosità ad un arcobaleno incurvato sopra una campagna devastata dall'uragano; splendore inutile.

– Che farò io? – ripeté disperandosi nuovamente. – Non amerò più, non crederò più. Il romanzo della mia vita è finito. Finito a ventidue anni, quando per gli altri i romanzi cominciano.

*
**

Arrivò a Fonni ch'era già notte.

La luna nuova cadeva sul cielo lucido frastagliato dal profilo nero dei tetti di scheggia; l'aria era freschissima, profumata; si udivano distintamente i tintinnii delle capre ritornanti dal pascolo, il passo dei cavalli, i latrati dei cani; ed Anania pensò a Zuanne e ricordò l'infanzia lontana come non l'aveva ricordata durante la sua prima gita a Fonni.

Il suo arrivo davanti alla casa della vedova richiamò ai finestrini, alle porticine, ai poggiuoli di legno delle casette attigue, molte teste curiose. Dovevano aspettarlo: un bisbiglio misterioso sorse intorno, ed egli se ne sentì come avvolto, e gli parve che una rete pesante lo stringesse tutto e lo attirasse giù, in un abisso di tenebre.

– Deve esser morta! – pensò, smontando dal vecchio cavallo che rimase immobile.

Zia Grathia apparve subito sulla porticina, con un lume in mano: era più cadaverica del solito, con gli occhietti rossi affondati in un gran cerchio livido.

Anania la guardò inquieto.

– Come sta? – chiese, sforzandosi a render la sua voce desolata.

– Ah, sta bene! Ha finito la sua penitenza terrestre! – rispose la vecchia con tragica solennità.

Anania capì che sua madre era morta: non se ne rattristò troppo, ma non ne provò neppure sollievo.

– Dio! Dio! Ma perché non avvertirmi? A che ora è spirata? Posso almeno vederla? – chiese, con ansia in parte vera e in parte finta, entrando nella cucina illuminata da un gran fuoco. Seduto accanto al focolare vide un paesano che pareva un sacerdote egizio pallido, con una lunga barba nerissima quadrata, e due occhi neri rotondi spalancati. Lo strano tipo, che teneva fra le mani un grosso rosario nero, guardò ferocemente Anania, e il giovine se ne accorse e cominciò a sentire una misteriosa inquietudine. Una idea terribile gli balenò in mente. Ricordò l'aria impacciata del carrozziere che gli aveva recato la notizia della grave malattia di sua madre; ripensò che pochi giorni prima Olì era sofferente, ma non malata, e capì che gli si voleva nascondere qualche cosa di truce. Intanto la vedova, rimasta accanto alla porta, diceva al paesano:

– Fidele, bada al cavallo: ecco, la paglia è là. Muoviti.

– A che ora è morta? – chiese Anania, rivolgendosi anch'egli al paesano, i cui occhi neri rotondi come due buchi lo suggestionavano stranamente.

– Alle due! – rispose una voce di basso profondo.

– Alle due! Ho ricevuto la notizia a quell'ora, io! Ah, perché non avvertirmi prima?

– Che potevi fare? – osservò la vedova, che badava sempre
al cavallo. – Muoviti, Fidele, figlio, – aggiunse con un po' di
impazienza.

– Perché non avvertirmi? – ripeté Anania con voce lamentosa, curvandosi automaticamente per togliersi lo sprone.
– Ma che cosa ha avuto? Ma il medico, dunque?... Dio, Dio
mio... io non sapevo niente! Ora vado a vederla.

Si avanzò verso la scaletta; ma zia Grathia, sempre col
lume in mano, lo rincorse e lo afferrò per un braccio.

– Che cosa, figlio?... Ma che cosa tu vuoi vedere?... Un
cadavere! – gridò, quasi spaventata.

Allora egli si turbò profondamente.

– Nonna! Nonna mia; credete che io abbia paura? Andiamo!

– Bene, andiamo... Aspetta! – disse la vecchia, e lo prece-
dette su per la scaletta di legno: la sua ombra deforme tremolò sul muro, allungandosi fino al tetto.

Davanti all'uscio della cameretta ove giaceva la morta, zia
Grathia si fermò esitando, e strinse nuovamente il braccio di
Anania; egli si accorse che la vecchia tremava, e, non seppe
perché, anch'egli sentì un brivido.

– Figlio, – disse zia Grathia a bassa voce, quasi in segreto,
– non spaventarti.

Egli impallidì; il pensiero che da qualche momento lo tormentava, deforme e mostruoso come le ombre tremolanti sui
muri, prese forma e gli riempì l'anima di terrore.

– Che è? – gridò, indovinando intera l'orrenda verità.

– Sia fatta la volontà del Signore...

– Si è uccisa?

– Sì...

– Oh, Dio! Oh, che orrore!

Egli gridò due volte, e gli parve che i capelli gli si rizzassero sul capo, e sentì la sua voce risonare nel lugubre silenzio della casetta. Ma subito si dominò, e spinse l'uscio.

Sul lettuccio, dove egli aveva dormito, vide il cadavere di Olì, delineato dal lenzuolo che lo copriva; per le imposte aperte entrava l'aria fresca della sera, e la fiammella di un cero, che ardeva accanto al letto, pareva volesse volar via, fuggirsene per la notte fragrante.

Anania s'avvicinò subito al letto, e cautamente, quasi temendo di svegliarlo, scoprì il cadavere. Una benda coperta di macchie già secche di sangue nerastro fasciava il collo, passava sotto il mento e sulle orecchie e si annodava tra i folti capelli neri della morta; in questo cerchio tragico il viso di lei si disegnava grigiastro, con la bocca ancora contorta per lo spasimo: attraverso le grandi palpebre socchiuse si scorgeva la linea vitrea degli occhi.

Anania capì subito che Olì s'era recisa la carotide. Colpito sinistramente dalle macchie di sangue, ricoprì il viso della morta, lasciando solo scoperti i capelli che si aggrovigliavano sull'alto del guanciale: i suoi occhi s'erano riempiti di terrore, la sua bocca si contorse alquanto, quasi imitando la contrazione spasmodica della bocca di Olì.

– Dio! Dio! Che orrore, che orrore! – egli disse, intrecciando disperatamente le dita e scuotendo le mani. – Il sangue! Ha sparso il sangue! Ma come ha fatto, dunque, come ha potuto? Ma come ha fatto? Ma si è dunque tagliata la gola? Che orrore! Che errore fu il mio! Dio! Dio!... No, zia Grathia, non chiudete... io soffoco. Sono stato io a dirle di uccidersi... Ah! ah! ah!

Egli singhiozzò, senza lacrime, soffocato da un impeto di rimorso e di orrore.

– Ella è morta disperata, – disse poi, – ed io non le ho detto una sola parola di conforto. Dopo tutto ella era mia madre, ed ha sofferto nel mettermi al mondo. Ed io... l'ho uccisa... ed io vivo!

Mai, come in quel momento, davanti al terribile mistero della morte, egli aveva sentito tutta la grandezza ed il valore della vita. Vivere! Non bastava soltanto vivere, muoversi, sentire la brezza profumata mormorare nella notte serena, per essere felici? La vita! La cosa più bella e più sublime che una volontà eterna ed infinita abbia potuto creare! – Ed egli viveva; ed egli doveva la vita alla misera creatura che ora gli stava davanti immobile e priva di questo sommo bene. Perché egli non aveva mai pensato a questo? Ah, egli non aveva mai capito il valore della vita, perché non aveva mai *veduto* da vicino l'orrore e il vuoto della morte. Ed ecco *ella*, ella sola s'era riserbata il compito di rivelargli col dolore della sua morte, la gloria suprema di vivere: ella, a prezzo della sua propria vita, lo faceva nascere una seconda volta, e questa nuova vita era incommensurabilmente più grande della prima.

Come un velo gli cadde dagli occhi; egli *vide* tutta la meschinità delle sue passioni, dei suoi odi e dei suoi dolori passati. Egli aveva sofferto perché sua madre aveva peccato, perché lo aveva abbandonato ed era vissuta nella colpa! Sciocco! Che importava tutto ciò? Che importavano queste sfumature nel quadro grandioso della vita? Non bastava che Olì lo avesse fatto nascere, perché ella rappresentasse per lui la più meritevole delle creature, la *madre*, ed egli dovesse amarla ed esserle riconoscente?

Egli singhiozzò ancora: ma attraverso la sua angoscia sentiva sempre più intensa la gioia di vivere. Sì, egli soffriva:

dunque viveva.

La vedova gli si avvicinò, prese fra le sue le mani di lui, strette convulsivamente, lo confortò, gli fece coraggio, poi lo supplicò d'allontanarsi.

– Andiamo giù, figlio, andiamo. No, non tormentarti: ella è morta perché doveva morire. Tu hai fatto il tuo dovere, ed essa... forse anch'essa fece il suo, sebbene il Signore ci abbia dato la vita per penitenza, imponendoci di vivere... Andiamo giù.

– Era giovane ancora! – disse Anania, calmandosi alquanto e fissando i capelli neri della morta. – No, non ho paura, zia Grathia, aspettate, restate un momento. Quanti anni aveva? Trentotto? Ditemi, – chiese poi, – a che ora è morta? Come ha fatto? Raccontatemi tutto. È stato qui il pretore?

– Andiamo; ti dirò tutto, vieni, – ripeteva zia Grathia, dirigendosi verso l'uscio.

Ma egli non si mosse: guardava sempre i capelli della morta, meravigliandosi che fossero così neri ed abbondanti, ed avrebbe voluto ricoprirli col lenzuolo, ma provava una strana paura ad avvicinarsi nuovamente al cadavere.

La vedova tornò presso il letto, ricoprì i capelli, e preso Anania per la mano lo trascinò fuori. Egli si voltò per guardare il tavolinetto appoggiato al muro, ai piedi del letto; poi, quando furono usciti, si mise a sedere su un gradino della scala.

La vedova depose il lume per terra, sedette anch'essa sulla scaletta, e cominciò a narrare una lunga storia, della quale Anania serbò sempre nella memoria questi tristi frammenti:

«Ella diceva sempre, sempre: Oh, me ne andrò, vedrete, me ne andrò, anche se egli non vuole. Gli feci abbastanza del male, zia Grathia mia: ora bisogna che lo liberi di me, in modo che egli non senta più il mio nome. Lo abbando-

nerò una seconda volta, ora che non vorrei lasciarlo più...
lo abbandonerò nuovamente per espiare la colpa del primo
abbandono....»

«...Ella fece arrotare il coltello a serramanico, che teneva
sempre con sé...»

«...Quando ricevemmo il sacchettino entro il fazzoletto
colorato, ella diventò livida; poi squarciò un po' il sacchettino e pianse...»

«...Sì, ella s'è tagliata la gola. Sì, stamattina alle sei, mentre
io ero alla fontana. Quando rientrai la trovai in un lago di sangue: era ancora viva, con gli occhi spalancati orribilmente...»

«...Tutta la giustizia, – il brigadiere, il pretore, il cancel-
liere, – invase la casa. Ah, pareva l'inferno! Il popolo s'affollò
nella strada, le donne piangevano come bambine. Il pretore
sequestrò il coltello, mi guardò con occhi terribili, mi chiese
se tu avevi minacciato tua madre. Poi vidi che anch'egli aveva
le lagrime agli occhi...»

«...Ella visse fin quasi a mezzogiorno; agonia per tutti. Figlio, tu sai se nella mia vita io vidi cose terribili; ma nessuna
come questa. No, non si muore di dolore e di pietà, poiché
io oggi non sono morta. Ah, perché siamo nati?» – ella concluse, piangendo.

Anania provò un indicibile turbamento nel veder piangere
quella donna strana, che il dolore pareva avesse da lungo tempo pietrificato; ma egli, egli che la notte prima aveva pianto
d'amore fra le braccia di Margherita, egli non poté piangere
di rimorso e d'angoscia: solo qualche singhiozzo convulso gli
stringeva ogni tanto la gola.

Si alzò e pregò la vedova di lasciarlo rientrare un momento
nella camera.

– Voglio vedere una cosa... – disse, con voce tremula da
bambino.

La vedova riprese il lume, riaperse l'uscio, lasciò passare
Anania, e attese: così triste e nera, con quell'antica lucerna
di ferro in mano, ella pareva la figura della Morte in attesa
vigilante. Anania si avvicinò in punta di piedi al tavolinetto,
sul quale aveva notato il suo sacchettino, squarciato, deposto
su un piatto di vetro. Prima di toccarlo lo guardò quasi con
diffidenza, poi lo prese e lo vuotò. Ne uscì fuori una pietruzza
gialla, e cenere, cenere annerita dal tempo.

Cenere!

Anania palpò a lungo, con tutte e due le mani, quella
cenere nera che forse era l'avanzo di qualche ricordo d'amore
di sua madre; quella cenere che aveva posato lungamente sul
suo petto, sentendone i palpiti più profondi.

E in quell'ora memoranda della sua vita, della quale capiva di non sentire ancora tutta la solenne significazione, quel
mucchiettino di cenere gli parve un simbolo del destino. Sì,
tutto era cenere: la vita, la morte, l'uomo; il destino stesso
che la produceva.

Eppure, in quell'ora suprema, vigilato dalla figura della
vecchia fatale che sembrava la Morte in attesa, e davanti alla
spoglia della più misera delle creature umane, che dopo aver
fatto e sofferto il male in tutte le sue manifestazioni era morta per il bene altrui, egli ricordò che fra la cenere cova spesso la scintilla, seme della fiamma luminosa e purificatrice, e
sperò, e amò ancora la vita.

Milton Keynes UK
Ingram Content Group UK Ltd.
UKHW042004160524
442778UK00001B/7

9 791037 800992